Deux courtes pièces autour du mariage

ÉTONNANTS • CLASSIQUES

Deux courtes pièces autour du mariage

Présentation, notes et dossier par
LAURENCE MARIE,
professeur de lettres

GF Flammarion

© Éditions Flammarion, 2010.
ISBN : 978-2-0807-2244-7
ISSN : 1269-8822

SOMMAIRE

■ **Présentation**. **7**

La comédie du vaudeville   **7**
Deux carrières de vaudevillistes à succès   **9**
Le comique   **15**
Deux comédies sur le mariage   **21**

■ **Chronologie** **25**

Labiche, *Embrassons-nous Folleville !* **39**

Feydeau, *Notre futur*   **91**

■ **Dossier**. **109**

Avez-vous bien lu ?   **111**
Exercices de langue   **115**
Le mariage arrangé (groupement de textes n° 1)   **117**
Rire sur scène (groupement de textes n° 2)   **129**
La mise en scène   **140**
Images du vaudeville au XIXe siècle   **146**

La comédie du vaudeville

Labiche et Feydeau ont principalement écrit des pièces de théâtre – c'est-à-dire des œuvres destinées à être jouées sur scène par des acteurs devant des spectateurs. La plupart de leurs pièces appartiennent au genre de la comédie, et plus précisément du vaudeville. À la différence de la tragédie, qui représente uniquement des sujets graves et se termine de façon malheureuse, la comédie a pour but de faire rire le spectateur et connaît une fin heureuse.

Le vaudeville est un type particulier de comédie. Lorsqu'il apparaît, au XVe siècle, le mot ne désigne pas une pièce de théâtre, mais de joyeuses chansons populaires, composées le plus souvent sur des airs connus. Au XVIIe siècle, la chanson fait son entrée au théâtre. On assiste alors à la naissance de la comédie en vaudevilles, où les dialogues parlés sont entrecoupés de chansons. Le genre est assez proche des comédies musicales que l'on peut voir aujourd'hui au théâtre ou au cinéma.

La comédie en vaudevilles, bientôt appelée « vaudeville », connaît son apogée au XIXe siècle. Les intrigues comiques imaginées par les auteurs nommés « vaudevillistes » sont souvent fondées sur des malentendus (quiproquos) ; elles enchaînent les rebondissements (péripéties reposant sur des coups de théâtre) à un rythme très rapide qui alimente le spectacle pour la plus grande joie du public. Les pièces se terminent bien car le dénouement lève tous les malentendus. Elles mettent souvent en scène un homme marié, bourgeois infidèle ou malchanceux, pris dans une situation difficile dont il a du mal à se sortir.

À partir de 1860, Eugène Labiche est l'un des principaux dramaturges à donner une structure plus complexe aux intrigues du vaudeville, qui jusque-là étaient très simples. En effet, à cette époque, le vaudeville est concurrencé par le développement de l'opérette, genre musical qui mêle la comédie, le chant et parfois la danse, et qui parodie souvent les opéras plus sérieux. Pour s'en démarquer, le vaudeville renonce à ses couplets chantés et se rapproche du genre de la comédie théâtrale, composée de dialogues visant à faire rire le public. C'est dans ce nouveau type de vaudeville non chanté que Georges Feydeau excellera à partir des années 1880.

Au XIXe siècle, environ dix mille vaudevilles sont représentés, ce qui est considérable. L'affiche des théâtres change très vite et le répertoire doit être constamment renouvelé : il arrive que, un même soir, on joue une vingtaine de vaudevilles dans les divers théâtres de la capitale. Très fréquemment, les vaudevillistes travaillent donc à plusieurs pour écrire leurs pièces, dans un échange créatif qui alimente le comique des dialogues. Labiche compose par exemple *Embrassons-nous Folleville !* avec son ami Auguste Lefranc et n'écrit réellement seul que quatre des cent soixante-quatorze pièces signées de son nom. Feydeau rédige seul la brève comédie en un acte qu'est *Notre futur*, mais pour bon nombre de ses œuvres il fait appel à l'aide de Maurice Desvallières, son principal collaborateur.

Dans la première moitié du XIXe siècle, les vaudevilles sont essentiellement joués à Paris, aux théâtres du Vaudeville, des Variétés et du Palais-Royal. À partir des années 1880-1890, ces lieux sont concurrencés par le théâtre des Nouveautés, l'Athénée comique et les petits théâtres qui foisonnent sur les boulevards qui relient l'église de la Madeleine à la place de la Bastille. Le théâtre occupe alors une place essentielle dans la vie parisienne : après les représentations, les auteurs, les comédiens, les directeurs de spectacles et les spectateurs se retrouvent dans les brasseries et les restaurants pour de joyeuses causeries qui se prolongent jusque tard dans la nuit.

Deux carrières de vaudevillistes à succès

Eugène Labiche

Eugène Labiche naît à Paris le 5 mai 1815. Son père est un riche industriel qui possède une fabrique de sirop et de glucose de fécule à Rueil-Malmaison, à l'ouest de Paris. Le jeune Eugène effectue ses études secondaires à Paris, au collège Bourbon, l'actuel lycée Condorcet. En 1833, il obtient son baccalauréat en lettres et s'inscrit à la faculté de droit – voie qu'il abandonnera rapidement : c'est la littérature qui l'attire.

Avant d'entrer à l'université, il voyage en Suisse, dans la péninsule italienne et en Sicile, et envoie à un journal parisien des petites scènes de vie pleines de fantaisie, qu'il publiera en 1839 sous le titre *La Clé des champs*. À cette époque, il rédige aussi des articles de critique théâtrale dans la *Revue du théâtre*, où il moque les défauts de son milieu social, la petite bourgeoisie. En outre, avec d'autres écrivains, qui seront ses collaborateurs pour de nombreuses pièces de théâtre, il écrit un roman, *Le Bec dans l'eau*. Sa première pièce, *La Cuvette d'eau*, qu'il compose avec Auguste Lefranc et Marc-Michel, date de 1837. L'année suivante, en 1838, son vaudeville intitulé *Monsieur de Coislin* lui apporte son premier succès.

En 1842, il épouse une riche héritière âgée de dix-huit ans, Adèle Hubert, qui lui donnera un fils en 1856, André Martin. À son mariage, il promet à son beau-père d'abandonner le théâtre. Il tient son engagement pendant un an, mais s'ennuie tellement que sa femme l'encourage à se remettre à écrire. Il devient le principal vaudevilliste des années 1840-1860. Quand, en 1850, il compose, avec Auguste Lefranc, *Embrassons-nous Folleville !*, il est déjà un auteur renommé. Après avoir fait jouer deux pièces politiques qui ont été mal reçues (*Exposition des produits de la République*, le 20 juin 1849, et *Rue de l'homme armé, numéro 8 bis*, le 24 septembre 1849), il choisit de situer le cadre de son nouveau vaudeville au XVIIIe siècle, sous Louis XV. La pièce connaît un succès honorable : elle tient l'affiche du théâtre du Palais-Royal entre le 6 mars et le 7 avril 1850. Elle est jouée de nouveau à partir du 3 mai pendant trois semaines, avant d'être reprise de temps à autre jusqu'au mois de juillet.

Parmi les pièces suivantes de Labiche figurent plusieurs chefs-d'œuvre du vaudeville, qui font alterner les dialogues parlés et les couplets chantés, et qui sont encore très souvent joués aujourd'hui : *Un chapeau de paille d'Italie* (1851), *Le Misanthrope et l'Auvergnat* (1852), *L'Affaire de la rue Lourcine* (1857), *Le Voyage de Monsieur Perrichon* (1860), *La Poudre aux yeux* (1861) et *La Cagnotte* (1864). Un grand nombre de ces pièces sont données au théâtre du Palais-Royal, qui accueille des comédies et des vaudevilles.

Labiche caresse un rêve : être représenté sur la scène de la prestigieuse Comédie-Française, sanctuaire des grandes comédies en cinq actes et des tragédies. Il y parvient en 1864, avec la pièce *Moi*, puis en 1876, avec *La Cigale chez les fourmis*, écrite en collaboration avec l'académicien Ernest Legouvé. Mais le public se montre peu enthousiaste. Aujourd'hui, plus d'un siècle après sa mort, Labiche a pris sa revanche puisqu'il fait partie des vingt auteurs les plus joués à la Comédie-Française !

Labiche ne s'est pas contenté d'être un auteur renommé. En 1848, au lendemain de la révolution qui a renversé la monarchie de Juillet gouvernée par Louis-Philippe, il tente de se lancer en politique, mais sans grand succès. Il se porte candidat à Rueil-Malmaison lors des premières élections au suffrage universel masculin, pour l'Assemblée constituante qui aura pour tâche d'élaborer la Constitution de la IIe République. Il arrive bon dernier et abandonne sagement son ambition de faire de la politique au niveau national. En 1853, il achète le château de Launoy, dans le Loir-et-Cher, avec neuf cents hectares de terres qu'il tient à exploiter lui-même, entre deux séances d'écriture. En 1868, il est élu maire de Souvigny-en-Sologne, la commune dont dépend le domaine. Entre-temps, en 1861, il a été fait chevalier de la Légion d'honneur.

L'échec relatif de *La Clé*, jouée en 1877, l'incite à arrêter sa carrière d'auteur dramatique. En 1880, après avoir publié avec succès ses *Œuvres complètes*, il est élu à l'Académie française, où il succède au fauteuil d'Ustazade Silvestre de Sacy, critique féroce de la littérature moderne. Son élection n'a pas été sans débats. Un insolent insinue que Labiche s'est porté candidat à l'Académie française pour y obtenir non pas un fauteuil, mais un banc qui lui permettrait d'asseoir les quarante-six collaborateurs avec lesquels il a écrit ses pièces ! Victor Hugo, qui ne voue pas une grande estime à ses vaudevilles, refuse de voter pour lui. Le critique littéraire le plus connu à l'époque, Ferdinand Brunetière, critique « l'invasion des genres inférieurs », considérant le vaudeville comme un dérivé médiocre de la comédie. Lors de son discours de réception à l'Académie, Labiche définit clairement son objectif à travers ses œuvres : amuser le public. Alphonse Daudet, auteur des *Lettres de mon moulin*, nuancera son portrait en soulignant : « Labiche n'est pas seulement un merveilleux amuseur, mais un observateur profond, un railleur qui sait toujours où va son rire. »

Labiche meurt à Paris le 13 janvier 1888, à l'âge de soixante-treize ans. Il est enterré au cimetière de Montmartre. Sa femme Adèle lui survivra jusqu'en 1909.

Georges Feydeau

Georges Feydeau naît à Paris le 8 décembre 1862 dans une vieille famille noble, les Feydeau de Marville. Son père, Ernest, est directeur de journaux et écrivain, proche des frères Goncourt et de Flaubert. Il a écrit, sans grand succès, quelques comédies. Il est surtout connu pour un roman réaliste, *Fanny* (1858), qui a souvent été comparé à *Madame Bovary* de Flaubert, paru peu avant. Le roman, qui montre un amant jaloux du mari de sa maîtresse, a fait scandale dans les milieux bourgeois.

La vocation dramatique de Georges est très précoce : à l'âge de sept ans, après être allé au théâtre avec ses parents, il se lance dans l'écriture d'une pièce au lieu de faire ses devoirs. Les études au lycée parisien Saint-Louis l'intéressent si peu qu'il les interrompt avant d'avoir obtenu le baccalauréat.

À l'âge de quatorze ans, il fonde le Cercle des Castagnettes avec un camarade de classe, pour donner des concerts et des représentations théâtrales. Quelques années plus tard, il interprête le personnage d'Oronte dans *Le Misanthrope* de Molière et celui de Beaudéduit dans *Un monsieur qui prend la mouche* de Labiche. Il fait aussi rire les spectateurs dans un numéro d'imitations où il parodie les plus grands acteurs de son époque, comme Coquelin Cadet.

Par la suite, il continue à jouer dans plusieurs spectacles et écrit des monologues, genre alors très applaudi dans les salons. En 1882, à vingt ans, il publie une petite comédie, *Notre futur*, qu'il destinait probablement à être jouée dans l'un des cercles auxquels il participe, comme celui des Castagnettes. Mais cette brève pièce en un acte ne sera représentée que beaucoup plus tard, le 11 février 1894, à Paris, dans la salle de Géographie, située boulevard Saint-Germain. L'année où Feydeau écrit *Notre futur*, il réussit à faire jouer sa première pièce en un acte, *Par la fenêtre*, dans une petite station balnéaire près de la frontière belge. Ses débuts sont remarqués par le vieux Labiche, qui l'encourage dans cette voie.

En 1883, Feydeau part à l'armée. Il profite de ses loisirs pour composer sa première grande pièce : *Tailleur pour dames*, qu'il fait jouer quatre ans plus tard au théâtre de la Renaissance. La pièce remporte un franc succès. Cependant, ses œuvres suivantes (notamment *Un bain de ménage* en 1888) sont boudées par le public. Pour surmonter ses difficultés financières, Feydeau pense alors à devenir comédien professionnel.

Cependant, ses ennuis d'argent s'envolent avec son mariage. En 1889, il épouse la belle Marie-Anne Carolus-Duran, dont il est amoureux. Marie-Anne est la fille d'un artiste célèbre qui a été le professeur de peinture de Feydeau. Ils auront quatre enfants ensemble. La dot de sa femme permet à Feydeau de reprendre sa carrière d'auteur de vaudevilles.

En 1892, il gagne la notoriété avec deux comédies, *Monsieur chasse* et *Champignol malgré lui*, puis il enchaîne les succès. Il écrit beaucoup et, chaque année, fait jouer une nouvelle pièce (principalement au théâtre du Palais-Royal et au théâtre des Nouveautés), reprise par la suite en Europe et aux États-Unis. Parmi les plus célèbres, on compte *Un fil à la patte* (1894), *Le Dindon* (1896), *La Dame de chez Maxim* (1899), *La Puce à l'oreille* (1907), *Occupe-toi d'Amélie* et *Feu la mère de Madame* (1908). Très vite Feydeau est célébré comme le plus grand auteur de vaudeville français et il est copié par de nombreux dramaturges. Il prête une grande attention à la représentation de ses œuvres : il les parsème d'une multitude d'indications scéniques (les didascalies) ; il est l'un des seuls auteurs à les mettre lui-même en scène. Il n'hésite pas à se rendre en province et à l'étranger pour régler les décors et diriger les acteurs qui interprètent ses personnages.

À partir de 1908, Feydeau abandonne le genre du vaudeville pour écrire des pièces en un acte, farces cruelles qui dépeignent l'enfer du mariage : *On purge bébé* (1910), *Mais n'te promène donc pas toute nue* (1911), *Léonie est en avance* (1911) et *Hortense a dit : « Je m'en fous »* (1916). Certains biographes y ont vu l'influence de ses problèmes de couple : en 1909, Feydeau a divorcé de Marie-Anne, qui ne supportait plus sa vie de noceur nocturne et avait pris un amant plus jeune qu'elle.

En 1919, avec la grande comédienne Sarah Bernhardt, Feydeau est témoin au mariage de Sacha Guitry (célèbre comédien, dramaturge et metteur en scène) avec Yvonne Printemps (comédienne également). Atteint par des troubles psychiques de plus en plus graves, il est interné en asile psychiatrique. Il est alors persuadé d'être le fils naturel de Napoléon III, voire Napoléon III lui-même, auquel il ressemble physiquement ! Il s'éteint à Rueil-Malmaison le 6 juin 1921.

Le comique

Embrassons-nous Folleville ! de Labiche et *Notre futur* de Feydeau sont deux comédies aux tonalités comiques très différentes. La première appartient au genre du vaudeville, qui a pour principal objectif de faire rire le public. La seconde se rapproche davantage de la comédie de mœurs, qui cherche moins à provoquer le rire qu'à poser un regard critique sur la société.

Embrassons-nous Folleville !

Labiche a défini sa vision du comique dans une réponse au romancier réaliste Émile Zola, qui le jugeait inférieur à Molière : « je trouve que vous avez parfaitement caractérisé la nature de mon talent (si talent il y a) : je suis un *rieur*. [...] J'ai beau faire, je ne peux pas prendre l'homme au sérieux, il me semble n'avoir été créé que pour amuser ceux qui le regardent d'une certaine façon ». *Embrassons-nous Folleville !* répond à l'intention du vaudevilliste : la pièce fourmille de procédés comiques.

Comique de situation

La pièce se fonde avant tout sur le comique de situation. Labiche joue à reprendre une situation comique traditionnelle, utilisée par Molière notamment dans *L'Avare* et dans *Le Mariage forcé* (voir dossier, p. 122) : un père veut obliger sa fille à épouser le prétendant qu'il lui destine, alors qu'elle en aime un autre.

Labiche multiplie les malentendus (quiproquos) comiques : quand le père, Manicamp, voit Folleville embrasser sa fille Berthe, il le croit brûlant d'amour pour elle, alors que, en réalité, Folleville remercie Berthe d'aimer Chatenay (scène 8) ; Manicamp pense que Chatenay lui rend visite pour obtenir réparation du soufflet que Berthe lui a donné au bal, alors que Chatenay vient lui demander la main de sa fille ; il veut envoyer un verre d'eau à la figure de Chatenay, mais c'est le chambellan du prince de Conti qui le reçoit (scène 9) ; dans la dernière scène, Folleville s'avance pour donner le bras à Berthe, pensant être son « futur », alors que Manicamp destine désormais sa fille à Chatenay.

À côté de ces méprises comiques, plusieurs situations ridicules provoquent le rire du spectateur. Chatenay veut apprendre à danser le menuet, mais multiplie les faux pas maladroits, comme dans l'épisode du bal raconté par Berthe (scène 6). Berthe s'effraie de voir Chatenay prêt à se jeter par la fenêtre, alors que, en réalité, celui-ci veut lui faire peur afin qu'elle accepte de l'épouser (scène 6). Contraint d'inviter Chatenay à déjeuner, Manicamp lui prépare une sorte d'antirepas. Plutôt que de lui servir une nourriture raffinée, il lui présente tout ce qui pourrait causer son déplaisir : des lentilles (le plat du pauvre) et un vin de qualité médiocre (scène 15).

Le comique est renforcé par les deux coups de théâtre et par l'enchaînement très rapide des séquences, concentrées en un seul acte : les personnages ne cessent d'entrer et de sortir de la scène, emportés dans un tourbillon étourdissant. Dès le début de la pièce, Manicamp veut conclure le mariage de sa fille le plus tôt possible. Il presse Folleville d'aller plus vite, comme à la scène 13, où il lui demande, par des phrases hachées, de courir chez le notaire.

Comique de caractère

Le caractère des personnages est entièrement placé au service de l'efficacité comique. Labiche n'a pas cherché, comme dans la comédie dite « de caractère », à analyser toutes les facettes de leur personnalité. Au contraire, il a donné à ses personnages une psychologie très simple, parce que c'est leur réduction à un trait principal qui fait rire, comme dans la caricature.

Manicamp est colérique : il est prisonnier de pulsions qu'il ne maîtrise pas, ce que souligne la répétition de la didascalie « *éclatant* ». « C'est plus fort que moi, c'est dans le sang ! » s'écrie-t-il à la scène 4. Son langage est composé de phrases qu'il répète mécaniquement comme une poupée articulée. Berthe est caractérisée par sa très petite taille et par le tempérament « vif » qu'elle a hérité de son père : « C'est plus fort que moi... quand on me contrarie... j'ai envie d'égratigner ! » (scène 4), répète-t-elle en faisant écho à Manicamp. Le jeune Folleville est un irrésolu[1] : il n'est pas capable de se faire entendre auprès de Manicamp et hésite sans cesse sur la décision à prendre ; il va même jusqu'à envisager d'épouser une jeune fille qu'il n'aime pas pour ne pas froisser le père ! Les manières raffinées du vicomte de Chatenay, qui a « vu danser à peu près toutes les cours d'Europe », contrastent avec sa maladresse et son caractère emporté, trait qu'il partage avec Berthe, tout comme la générosité : « qui se ressemble, s'assemble » pourrait être l'une des morales de la pièce !

Comique de geste et de répétition

Le comique visuel du vaudeville est alimenté par les gestes des protagonistes, qui perdent le contrôle d'eux-mêmes. Manicamp veut sans cesse embrasser Folleville ; le même manège se répète à la fin de la pièce avec Chatenay. La fureur qui s'empare des personnages les conduit par exemple à briser toutes les porcelaines de la maison à un rythme forcené (scène 9). Ce type de procédé illustre parfaitement la définition du rire donnée par le philosophe Henri Bergson, grand lecteur de Labiche : pour lui, le rire est provoqué

---

1. *Irrésolu* : hésitant, qui ne parvient pas à prendre une décision.

par « du mécanique plaqué sur du vivant[1] ». De fait, ce comique de gestes est redoublé par un comique de répétition qui transforme les personnages en machines : le spectateur rit de reconnaître les mêmes scènes reprises plusieurs fois avec des variations.

Le comique de gestes est également renforcé par le jeu théâtral auquel se livrent certains personnages. Comme s'il était professeur de théâtre et metteur en scène, Manicamp critique en aparté le jeu « froid » de Folleville. Il lui fournit une bague de fiançailles, accessoire qui rend plus crédible son rôle de prétendant de Berthe (scène 4). Plus loin, Folleville se met lui-même à imiter de manière parodique la diction et la gestuelle de Chatenay et de Berthe s'enfuyant de la maison paternelle (scène 13).

Comique de mots

Labiche use à plaisir du comique de mots, d'abord à travers les noms de ses personnages. Le nom « Folleville », qui contient l'adjectif « folle », souligne la frénésie qui emporte les personnages. Le prénom « Berthe » évoque « Berthe au grand pied », surnom de la reine Berthe de Laon (mère de Charlemagne, VIIIe siècle) : quel contraste avec la taille minuscule du personnage de Labiche ! Le nom « Manicamp » reprend celui d'un personnage d'Alexandre Dumas qui tente de s'élever socialement en se mettant au service d'un jeune comte en vue à la cour[2] : de fait, les efforts du Manicamp de Labiche pour être bien considéré par ses supérieurs dans la hiérarchie sociale le rendent souvent ridicule.

Dans la pièce, la parole, en particulier celle de Manicamp, est rendue mécanique par la répétition. Le père a toujours les mêmes mots à la bouche, qu'il reprend avec de légères variations :

---

1. Henri Bergson, *Le Rire : essai sur la signification du comique*, 1899.
2. Voir Alexandre Dumas, *Le Vicomte de Bragelonne*, 1847, chap. LXXIX.

« Embrassons-nous », « On ne peut pas ne pas aimer Berthe », « Ah ! je sentis une douce larme perler sous mes longs cils bruns ».

Les paroles de ces marionnettes manipulées par l'auteur paraissent obéir à une logique déréglée. Ainsi, il semble absurde d'aimer quelqu'un uniquement pour sa taille, surtout quand celle-ci est exagérée : c'est pourtant ce que fait Folleville, en aimant sa cousine pour ses « cinq pieds quatre pouces ». Comme dans les scènes du menuet et du duel, la chanson renforce la nature comique des propos des personnages. À la scène 1, le spectateur rit en entendant Folleville chanter avec passion ces paroles ridicules : «Plus je la vois qui s'élève et progresse,/ Plus mon amour va pour elle en croissant ».

De même, à la scène 8, Manicamp tente d'enfermer Folleville dans un raisonnement qui n'est logique qu'en apparence. Aveuglé par son amour paternel, il affirme qu'« on ne peut pas ne pas aimer Berthe » ; partant de ce principe, il considère que Folleville aime Berthe et qu'il doit donc l'épouser (« puisque vous aimez Berthe, vous épouserez Berthe ! »).

Enfin, les multiples injures que s'échangent les personnages produisent un jeu de miroir proche du ping-pong : elles soulignent que les réactions impulsives l'emportent sur les choix raisonnables. En brisant les convenances sociales, elles provoquent le rire du public.

Gaieté musicale

Les couplets chantés qui entrecoupent la pièce accentuent le comique des scènes et la gaieté du spectacle. Labiche, qui était atteint de surdité progressive, laissait la plupart du temps ses collaborateurs s'occuper de la musique. Les paroles des chansons reprennent des airs à la mode, que le public a pu entendre dans les vaudevilles et les opérettes joués à l'époque. Elles ne sont pas de simples ornements, mais font partie du dialogue dramatique.

Les airs sont chantés par un seul personnage à la fin d'une scène (scènes 1 et 2 par exemple) ou par deux personnages, sous forme de dialogue (ainsi à la scène 6, entre Berthe et Chatenay). Parfois, les personnages chantent ensemble un même air, comme au dénouement : le chœur des personnages souligne alors la réconciliation de tous les protagonistes autour du mariage à venir.

Notre futur

Contrairement au vaudeville de Labiche, la comédie de Feydeau intitulée *Notre futur* vise moins à faire rire le public aux éclats qu'à le faire sourire. Le comique y est principalement fondé sur la situation et sur le caractère.

La situation initiale est comique car, sans le savoir, deux cousines, Henriette et Valentine, veulent épouser le même homme. Le spectateur est amené à le comprendre avant les personnages, les indications données par Valentine répétant les détails livrés par Henriette dans son premier monologue. Le malentendu comique est levé pour les personnages par un coup de théâtre qui est lui aussi vecteur de comique : quand Valentine révèle que c'est M. de Neyriss qui la courtise, Henriette change radicalement de comportement, sans vouloir admettre qu'elle est jalouse.

Le comique de *Notre futur* repose également sur le caractère des personnages. Comme chez Labiche, le caractère stéréotypé des deux femmes et de M. de Neyriss, qui n'apparaît jamais sur scène, fait sourire, voire rire. Valentine est l'archétype de la jeune fille innocente et naïve. Henriette correspond au modèle de la jeune veuve expérimentée, soucieuse de plaire et fine connaisseuse des règles implicites qui régissent les relations entre les sexes. Enfin, M. de Neyriss est le type du parfait séducteur : c'est un beau parleur qui joue à s'attirer les faveurs des femmes, un coureur de dot qui se marie pour gagner une belle position sociale.

Deux comédies sur le mariage

Avant la fin du XIXe siècle, dans les milieux bourgeois et aristocratiques, il est rare de se marier par amour. Entièrement soumis à l'autorité de leur père, les enfants ne sont pas libres de choisir celui ou celle qu'ils épousent. Arrangé entre deux familles de même rang social, le mariage est conçu comme une alliance destinée à renforcer la position sociale. Un aristocrate cherche ainsi pour sa fille le meilleur parti possible, c'est-à-dire un homme, même beaucoup plus âgé qu'elle, issu d'une famille noble influente et riche. Le mariage est décidé après qu'a été fixé le montant de la dot (les biens qu'une femme apporte en se mariant).

Mettant toutes deux en scène des aristocrates, *Embrassons-nous Folleville !* et *Notre futur* abordent la question du mariage, leur thème central, sous deux angles différents : dans la première pièce, le mariage est avant tout un réservoir de situations comiques ; dans la seconde, il est l'occasion d'une réflexion sur les rapports entre les hommes et les femmes.

Embrassons-nous Folleville !

La pièce de Labiche s'ouvre sur la perspective de deux mariages arrangés qui entrent en conflit. Le veuf Manicamp veut marier sa fille Berthe à Folleville, mais celui-ci doit épouser sa cousine Aloïse : « notre mariage est arrêté depuis longtemps entre les deux familles », affirme Folleville à la fin de son monologue (scène 1). Or, Folleville n'aime pas Berthe mais Aloïse : seul le second mariage arrangé pourrait être un mariage d'amour, en tout cas du point de vue de Folleville, puisque la pièce ne dit pas si Aloïse partage ses sentiments. Toute la pièce vise ainsi à empêcher le mariage forcé entre Berthe et Folleville pour faire advenir un mariage d'amour entre Berthe et Chatenay, qui laisserait la voie libre à l'union entre Folleville et Aloïse.

La critique sociale n'est pas l'objectif principal de Labiche. Toutefois, à certains égards, la pièce peut être lue dans cette perspective. Le mariage arrangé est présenté comme une tractation : Manicamp veut donner sa fille à Folleville pour effacer la dette d'honneur qu'il a contractée à son égard. L'argent semble influencer le choix d'un époux autant que l'amour : Folleville trouve sa cousine « jolie, spirituelle, riche » (scène 1) ; Berthe est sensible au diamant que lui offre Folleville (scène 3) et à la promesse de Chatenay de lui en procurer une multitude d'autres (scène 6). Néanmoins, le mariage n'est jamais motivé par la volonté de s'élever socialement. Quoique Manicamp soit éperdu d'admiration pour son « illustre protecteur », le prince de Conti, cousin du roi Louis XV, il continue à vouloir honorer sa dette envers Folleville plutôt que d'accepter la demande en mariage de Chatenay, qui est pourtant le « favori du prince de Conti ».

La victoire finale du mariage d'amour peut apparaître comme une attaque indirecte contre l'union forcée. Ainsi, quand Berthe menace de prendre des amants si on l'oblige à se marier avec Folleville, qu'elle n'aime pas, elle laisse entendre que l'infidélité est une pratique répandue chez les femmes malheureuses en ménage : « Je ne sais pas ce que c'est, mais je gage/ Qu'en m'informant auprès du voisinage/ On me le dit, vraiment, à qui mieux mieux ! » (scène 7).

Pour autant, Labiche ne se livre pas à un éloge sans réserve du mariage d'amour. L'irruption des sentiments amoureux est en effet traitée sur le mode parodique : Chatenay tombe amoureux fou de Berthe parce qu'elle lui a donné une gifle ; il la demande en mariage dès le lendemain ; Berthe accepte presque immédiatement et dit aimer Chatenay alors qu'elle le trouvait « ridicule » un instant auparavant. Comme montés sur des ressorts, les personnages semblent céder à la frénésie qui emporte toute la pièce.

Notre futur

Ouvrant *Notre futur*, le monologue d'Henriette annonce le thème principal de la pièce : « l'idée d'un mariage peut bien vous émouvoir un peu ». Plusieurs conceptions du mariage sont évoquées dans la petite comédie.

Tout d'abord, le spectateur comprend très vite que, avant la pièce, a été consommé un mariage reposant sur des intérêts financiers et non sur l'amour : Henriette a été l'épouse d'un « vieux général » peu affectueux. De cette union, la veuve ne conserve néanmoins aucune rancœur : elle n'exprime que respect et tendresse pour le défunt. Elle cherche à se remarier au plus vite car à cette époque, pour une femme, seul le mariage permet d'exister dans la société.

La jeune fille inexpérimentée et naïve qu'est Valentine exprime une conception idéalisée du mariage : pour elle, un homme qui déclare sa flamme est nécessairement amoureux et décidé à se marier. Elle croit au mariage d'amour mais, avec frivolité, ne pense qu'aux avantages que pourrait lui apporter le statut d'épouse : « Se faire appeler Madame ! porter des diamants !... aller au Palais-Royal ! » (scène 2).

Cependant, la pièce paraît consacrer la victoire du mariage d'argent. Les deux femmes ont été trompées par un jeune séducteur ambitieux : selon Henriette, M. de Neyriss ne cherche pas à se marier par amour, mais afin d'accroître sa fortune et de s'élever dans la hiérarchie sociale.

Plus généralement, *Notre futur* souligne que les femmes, dépendantes socialement des hommes, se livrent à une compétition féroce dans la course au mariage : les deux cousines se jalousent d'abord à propos de leurs toilettes de bal, puis elles se disputent le même fiancé, qu'elles veulent toutes deux gagner comme époux.

Henriette, qui a déjà été mariée et qui est donc plus expérimentée que sa cousine, suggère que les hommes et les femmes sont animés par le désir de plaire : les femmes se parent de leurs plus beaux atours pour attirer l'attention des hommes, et ceux-ci apparaissent comme des séducteurs qui manipulent les femmes. Henriette elle-même s'y laisse prendre : sa connaissance du monde et la posture de supériorité qu'elle adopte à l'égard de Valentine ne l'ont pas empêchée d'être dupée par les belles paroles de M. de Neyriss.

CHRONOLOGIE

1815 1921
1815 1921

■ Repères historiques et culturels
■ Vie et œuvre des auteurs

Repères historiques et culturels

1814 Abdication de Napoléon Ier, exilé sur l'île d'Elbe. Première restauration de la monarchie : Louis XVIII, frère de Louis XVI, accède au trône.

1815 De mars à juin : les Cents-Jours. Période pendant laquelle Napoléon Ier tente de rétablir l'Empire. En juin, défaite de Waterloo et exil définitif de Napoléon Ier à Sainte-Hélène, île anglaise. Retour de Louis XVIII sur le trône : seconde restauration de la monarchie.

1816 Constant, *Adolphe*.

1819 Géricault, *Le Radeau de la Méduse*.

1822 Loi sur la liberté individuelle et sur la presse.

1824 Mort de Louis XVIII. Charles X, son frère, lui succède sur le trône.

1827 Hugo, *Cromwell*.
Scribe, *Le Mariage d'argent*.

1828 Vigny, *Le More de Venise*.
Dumas père, *Henri III et sa cour*.

1829 Balzac, *La Comédie humaine* (jusqu'en 1848).

1830 Insurrection des 27, 28 et 29 juillet (les «Trois Glorieuses») qui met fin au règne de Charles X. Louis-Philippe devient roi des Français : début de la monarchie de Juillet.
Stendhal, *Le Rouge et le Noir*. Hugo, *Hernani*.

1831 Hugo, *Notre-Dame de Paris*, *Les Feuilles d'automne*.
Delacroix, *La Liberté guidant le peuple*.

1833 Loi Guizot sur l'enseignement primaire.
Musset, *Les Caprices de Marianne*.
Chopin, *Nocturnes*.

Vie et œuvre des auteurs

1815   Naissance d'Eugène Labiche.

1825-   Labiche fait ses études au collège Bourbon.
1833

1833   Labiche obtient son baccalauréat en lettres.

Repères historiques et culturels

1835 Tocqueville, *De la démocratie en Amérique*.

1838 Hugo, *Ruy Blas*.

1839 Stendhal, *La Chartreuse de Parme*.

1840 Gouvernement Guizot (jusqu'en 1848).

1842 Sue, *Les Mystères de Paris*.

1844 Dumas père, *Les Trois Mousquetaires*.

1846 Crise économique et financière.
Michelet, *Histoire de la Révolution française*.

1848 Insurrection des 22, 23 et 24 février qui met fin à la
monarchie de Juillet, remplacée par la IIe République.
Louis-Napoléon Bonaparte est élu président
de la République.
Châteaubriand, *Mémoires d'outre-tombe*.

1851 Coup d'État de Louis-Napoléon Bonaparte.
Scribe, *Bataille de dames*.

1852 Louis-Napoléon Bonaparte se fait couronner empereur
et s'attribue le nom de Napoléon III. Début du second
Empire.
Dumas fils, *La Dame aux camélias*.

Vie et œuvre des auteurs

1834   Labiche voyage en Suisse, dans la péninsule italienne et en Sicile. À son retour, il s'inscrit à l'école de droit pour préparer sa licence.

1836-
1837   Labiche collabore à la *Revue du théâtre*. Il publie des articles de critique dramatique et un roman, *Le Bec dans l'eau*.

1837   *La Cuvette d'eau*, première pièce de Labiche, écrite en collaboration avec Auguste Lefranc et Marc-Michel. La pièce n'a pas été imprimée et l'on ne sait ni où ni quand elle a été jouée.

1839   Labiche, *La Clé des champs*, étude de mœurs.

1842   Labiche se marie avec une riche héritière âgée de dix-huit ans, Adèle Hubert.

1848   Labiche se porte candidat à Rueil-Malmaison lors des élections à l'Assemblée constituante. Il arrive bon dernier. Il écrit *Un jeune homme pressé*.

1850   Labiche, *Embrassons-nous Folleville !*

1851   Labiche, *Un chapeau de paille d'Italie*.

1852   Labiche, *Mon Isménie*, *Le Misanthrope et l'Auvergnat*.

Repères historiques et culturels

1857 Flaubert, *Madame Bovary*.
Baudelaire, *Les Fleurs du mal*.

1859 Darwin, *De l'origine des espèces*.
Hugo, *La Légende des siècles*.

1862 Hugo, *Les Misérables*.

1863 Naissance de l'école du Parnasse.
Salon des refusés (Manet, Pissarro, Cézanne…).
Manet, *Le Déjeuner sur l'herbe*.

1865 Abolition de l'esclavage aux États-Unis.
Les Goncourt, *Germinie Lacerteux*.
Sardou, *La Famille Benoîton*.
Taine, *Philosophie de l'art*.

1866 Daudet, *Lettres de mon moulin*.

1869 Lautréamont, *Les Chants de Maldoror*.

1870 Guerre franco-allemande. Défaite française à Sedan et
destitution de Napoléon III. 4 septembre : proclamation
de la IIIe République.
Flaubert, *L'Éducation sentimentale*.

1871 Armistice. Commune de Paris réprimée
par le gouvernement de Thiers.
Traité de Francfort : la France cède l'Alsace-Lorraine
à l'Allemagne.
Zola, *La Fortune des Rougon* (premier roman de la série
des *Rougon-Macquart*).

Vie et œuvre des auteurs

1853   Labiche achète le château de Launoy, à Souvigny-en-Sologne.

1857   Labiche, *L'Affaire de la rue Lourcine*.

1860   Labiche, *Le Voyage de Monsieur Perrichon*.

1861   Labiche, *La Poudre aux yeux*.

1862   Naissance de Georges Feydeau.
Labiche, *La Station Champbaudet*.

1863   Labiche, *Célimare le bien-aimé*.

1864   Labiche, *La Cagnotte, Moi*.

1868   Labiche est élu maire de Souvigny-en-Sologne.

1869   À sept ans, Feydeau compose sa première pièce, dont on n'a pas gardé trace.

Repères historiques et culturels

1871 Gouvernement de Thiers : réorganisation de la France et évacuation du territoire par les Prussiens.

1872 Renoir, *Les Canotiers à Chatou*.

1873 Jules Verne, *Le Tour du monde en quatre-vingts jours*.
Rimbaud, *Une saison en enfer*, *Illuminations*.
Gouvernement de Mac-Mahon : l'Ordre moral, tentative avortée de restauration monarchiste.

1876 Flaubert, *Trois Contes*.

1879 Jules Grévy président de la République (jusqu'en 1887).

1880 Rodin, *Le Penseur*.
Gouvernements Jules Ferry (jusqu'en 1885) :
– lois scolaires (enseignement primaire laïque, gratuit et obligatoire ; généralisation de l'enseignement secondaire aux jeunes filles) ;
– lois sur la liberté de la presse, la liberté de réunion et la liberté syndicale ;
– conquêtes coloniales.

1882 Wagner, *Parsifal*.

Vie et œuvre des auteurs

1872   Feydeau est interne au lycée Saint-Louis. Il continue à écrire des pièces.

1873   Mort du père de Feydeau.

1876   Feydeau et un de ses camarades de classe fondent le Cercle des Castagnettes, qui donne des concerts et des représentations théâtrales.

1877   Labiche, *La Clé* (sa dernière pièce).

1879   Au cours de spectacles représentés par le Cercle des Castagnettes, Feydeau interprète un personnage de Molière (Oronte dans *Le Misanthrope*) et un rôle de Labiche (Beaudéduit dans *Un monsieur qui prend la mouche*).

1880   Élection de Labiche à l'Académie française. Ferdinand Brunetière déplore l'«invasion des genres inférieurs» et Victor Hugo refuse de voter pour lui.

1881   Feydeau évolue dans un milieu passionné de théâtre. Il continue à se produire en tant que comédien dans de nombreux spectacles et écrit des monologues.

1882   Feydeau publie *Notre futur*.
Sa première pièce (en un acte), *Par la fenêtre*, est jouée pour la première fois.

Repères historiques et culturels

1885   Zola, *Germinal.*

1887   Fondation du Théâtre-Libre par Antoine (réalisme théâtral).
Sadi-Carnot président de la République (jusqu'en 1894).

1888   Début du boulangisme, mouvement nationaliste et revanchard.
Jarry, *Ubu roi.*

1889   Exposition universelle. Inauguration de la tour Eiffel.

1890   Renan, *L'Avenir de la science.*

1892   Cézanne, *Les Joueurs de cartes.*

1893   Renard, *Poil de carotte.*

1894   Debussy, *Prélude à l'après-midi d'un faune.*

1895   Félix Faure président de la République (jusqu'à sa mort en 1899).

1898   Zola, «J'accuse».

1899   Affaire Dreyfus.

Vie et œuvre des auteurs

1883 Feydeau part à l'armée. Il écrit sa première grande pièce : *Tailleur pour dames*.

1884 Feydeau devient secrétaire général du théâtre de la Renaissance.

1886 Feydeau rencontre le compositeur Claude Debussy. Création de *Tailleur pour dames* au théâtre de la Renaissance.

1888 Mort de Labiche à Paris.

1889 Feydeau épouse Marie-Anne Carolus-Duran, dont il est amoureux.

1892 Feydeau, *Monsieur chasse*, *Champignol malgré lui*.

1894 Feydeau, *Un fil à la patte*, *L'Hôtel du libre-échange*. Il fait jouer pour la première fois *Notre futur*, dans la salle de Géographie, à Saint-Germain-des-Prés.

1896 Feydeau, *Le Dindon*.

1899 Feydeau, *La Dame de chez Maxim*.

Repères historiques et culturels

1900   Exposition universelle à Paris.
Bergson, *Le Rire : essai sur la signification du comique*.
Colette, les *Claudine*.

1902   Debussy, *Pelléas et Mélisande*.

1903   Premier vol en aéroplane.

1905   Loi de séparation des Églises et de l'État.

1907   Picasso, *Les Demoiselles d'Avignon*.

1909   Blériot traverse la Manche en aéroplane.

1910   Matisse, *La Danse*.

1913   Raymond Poincaré président de la République (jusqu'en 1920).
Alain-Fournier, *Le Grand Meaulnes*.
Apollinaire, *Alcools*.
Proust, *Du côté de chez Swann*.

1914   Début de la Première Guerre mondiale.
Monet, *Nymphéas*.

1916   Freud, *Introduction à la psychanalyse*.

1918   Armistice du 11 novembre.
Apollinaire, *Calligrammes*.

1919   Traité de Versailles.

1920   Création du parti communiste français.

Vie et œuvre des auteurs

1904   Feydeau, *La Main passe*.

1907   Feydeau, *La Puce à l'oreille*.

1908   Feydeau, *Occupe-toi d'Amélie*, *Feu la mère de Madame*.

1910   Feydeau, *On purge bébé*.

1911   Feydeau, *Léonie est en avance*, *Mais n'te promène donc pas toute nue*.

1913   Feydeau est nommé officier de la Légion d'honneur.

1916   Feydeau, *Hortence a dit : « Je m'en fous »*.

1919   Feydeau est témoin, avec Sarah Bernhardt, au mariage de Sacha Guitry et d'Yvonne Printemps.

1921   Feydeau décède à Rueil-Malmaison après avoir été interné pour des troubles psychiques.

■ Portrait du dramaturge Eugène Labiche (1815-1888) par Marcellin Desboutin (1823-1902) ; huile sur toile.

Embrassons-nous Folleville !

COMÉDIE VAUDEVILLE EN UN ACTE

PAR EUGÈNE LABICHE ET AUGUSTE LEFRANC
REPRÉSENTÉE POUR LA PREMIÈRE FOIS, À PARIS,
SUR LE THÉÂTRE DE LA MONTANSIER[1],
LE 6 MARS 1850.

---

1. Le théâtre de la rue des Réservoirs, ensuite rebaptisé «théâtre de la Montansier», a été ouvert en 1777 à Versailles, près du château, par la comédienne Mlle Montansier, grâce à l'appui de la reine Marie-Antoinette.

PERSONNAGES

LE MARQUIS[1] DE MANICAMP
LE VICOMTE DE CHATENAY
LE CHEVALIER DE FOLLEVILLE
BERTHE, fille de Manicamp
UN CHAMBELLAN[2] du prince de Conti[3]

---

1. Les titres de noblesse dont sont pourvus les personnages sont soumis à une stricte hiérarchie. Par ordre décroissant, la pièce compte : un prince, un marquis, un vicomte et un chevalier.

2. *Chambellan* : gentilhomme de la cour chargé du service de la chambre du roi (ici d'un prince du sang, voir note 4, p. 44).

3. Le *prince de Conti* (1717-1776) est le cousin du roi Louis XV. Grand amateur d'art, il a longtemps été très influent à la cour de Versailles avant d'en être exclu, en 1756, pour s'être opposé ouvertement à la politique du roi. L'allusion au prince de Conti montre que la pièce se déroule sous le règne du roi Louis XV (1723-1774), probablement dans les années 1740-1750, quand le prince fait encore partie des favoris du roi.

Le théâtre représente un salon Louis XV[1]. – À droite, premier plan, une porte ; au troisième plan, une croisée[2]. – À gauche, deuxième plan, une porte. – Au fond, une cheminée ; de chaque côté de la cheminée, une porte ; celle de droite est celle qui conduit au-dehors. Sur la cheminée deux vases de porcelaine ; sur une console[3], à gauche, autre vase en porcelaine avec des fleurs. Chaises, fauteuils, etc.

Scène première

FOLLEVILLE, *seul, à la cantonade*[4]

Prévenez M. le marquis de Manicamp que le chevalier de Folleville l'attend au salon. *(Descendant la scène[5].)* Allons, c'est décidé, il faut que j'en finisse aujourd'hui. Comprend-on ce Manicamp ?... se prendre tout à coup d'une belle passion
5 pour moi à propos de je ne sais quelle aventure de chasse et vouloir à toute force me faire épouser sa fille. Tous les matins, j'entre ici avec la ferme résolution de rompre... mais, dès que Manicamp m'aperçoit... il m'ouvre les bras, me caresse[6], m'embrasse en m'appelant son cher Folleville... son

---

1. Le mobilier de style Louis XV se compose principalement de meubles en bois, aux pieds galbés : commodes à deux tiroirs, petites tables ornées de motifs en bronze, sièges garnis de soies fleuries et souvent entièrement dorés. Ce style, appelé aussi style rococo, est caractérisé par sa fantaisie et sa légèreté. Il est souvent associé à la frivolité du monde de la cour.
2. *Croisée* : fenêtre.
3. *Console* : table à deux pieds, fixée au mur.
4. *À la cantonade* : à des personnes présentes dans les coulisses.
5. *Descendant la scène* : se dirigeant vers le bord de la scène, près des spectateurs.
6. *Me caresse* : me flatte.

10 bon Folleville… le moyen de dire[1] à un père aussi souriant :
«Votre fille n'est pas mon fait[2], cherchez un autre gendre…»
Alors j'hésite, je remets au lendemain, les jours se passent,
et, si ça continue, je me trouverai marié sans m'en apercevoir… Ce n'est pas que mademoiselle Berthe de Manicamp
15 soit plus mal qu'une autre… Au contraire, elle est jolie, spirituelle, riche… oui, mais elle a un défaut, elle est petite… oh !
mais petite !… tandis que ma cousine Aloïse !… une cousine
de cinq pieds quatre pouces[3] !…

AIR de *La Colonne*.

Sa taille svelte, élancée et bien prise[4]
20 A sur mon cœur des charmes tout-puissants ;
J'ai constaté d'ailleurs, avec surprise,
Qu'elle grandit encore tous les ans,
Elle grandit encore tous les ans.
Plus je la vois qui s'élève et progresse[5],
25 Plus mon amour va pour elle en croissant,
À ce jeu-là, je ne sais pas vraiment
Où doit s'arrêter ma tendresse.

D'ailleurs, notre mariage est arrêté depuis longtemps entre
les deux familles… Ma foi ! j'en suis fâché pour mademoiselle
30 Berthe, mais je vais déclarer tout net à Manicamp…

---

1. *Le moyen de dire* : comment dire.
2. *Votre fille n'est pas mon fait* : votre fille ne me plaît pas.
3. *Cinq pieds quatre pouces* : un peu moins de 1,73 mètre, c'est-à-dire
une taille très grande pour le XVIIIe siècle, mais aussi pour le XIXe siècle,
époque où est représentée la pièce.
4. *Bien prise* : bien faite, mince.
5. *Progresse* : ici, grandit.

Scène 2

FOLLEVILLE, MANICAMP

MANICAMP, *dans la coulisse*. – Où est-il ? où est-il ? *(Paraissant.)* Ah ! vous voilà ! mon cher Folleville !... mon bon Folleville !

FOLLEVILLE, *à part*. – Voilà que ça commence.

35 MANICAMP. – Embrassons-nous, Folleville !

FOLLEVILLE. – Avec plaisir, Manicamp.

Ils s'embrassent.

MANICAMP. – Ne m'appelez pas Manicamp... ça me désoblige[1]... appelez-moi beau-père...

40 FOLLEVILLE. – C'est que je suis venu pour causer avec vous... sérieusement.

MANICAMP. – Parlez... je vous écoute... mon gendre...

FOLLEVILLE, *à part, mécontent*. – Son gendre ! *(Haut.)* Croyez, marquis, que c'est après avoir mûrement réfléchi...

45 MANICAMP, *avec attendrissement*. – Ce bon Folleville !... ce cher Folleville ! Embrassons-nous, Folleville !

FOLLEVILLE, *s'y prêtant[2] froidement*. – Avec plaisir, Manicamp. *(Ils s'embrassent. – Reprenant.)* Croyez, marquis, que c'est après avoir mûrement réfléchi...

50 MANICAMP. – À propos, les dentelles sont achetées !

FOLLEVILLE. – Quelles dentelles ?

MANICAMP. – Pour la corbeille[3].

FOLLEVILLE, *à part*. – Allons, bon ! *(Haut.)* Mais nous avions le temps.

---

1. *Ça me désoblige* : cela me déplaît.

2. *S'y prêtant* : ici, se laissant embrasser.

3. *La corbeille* : la corbeille de mariage, qui contient les cadeaux offerts aux nouveaux mariés.

55 MANICAMP. – Du tout… du tout… Hier, j'ai annoncé officiellement votre mariage au prince de Conti.

FOLLEVILLE. – Comment ?

MANICAMP. – Je ne pouvais m'en dispenser, c'est mon protecteur[1] le plus fervent auprès du roi Louis XV.

60 FOLLEVILLE. – Mais rien ne pressait. Vous allez ! vous allez[2] !

MANICAMP. – Dites donc, il a promis de signer au contrat[3]… Un prince du sang[4], hein ! quel honneur !

FOLLEVILLE. – Sans doute… je suis extrêmement flatté, mais…

65 MANICAMP. – Ah çà ! vous ne m'avez pas encore remis l'état de vos biens[5].

FOLLEVILLE. – Pour quoi faire ?

MANICAMP. – Pour le contrat. J'ai rendez-vous aujourd'hui chez mon notaire.

70 FOLLEVILLE, *à part*. – Le contrat ! ah çà ! il m'enlace ! il me garrotte[6] !…

MANICAMP, *avec attendrissement*. – Et dans quelques jours… ma fille sera… ah ! mon cher Folleville ! mon bon Folleville !… Embrassons-nous, Folleville !

75 FOLLEVILLE. – Avec plaisir, Manicamp. *(Ils s'embrassent.)* Sans reproches, c'est la troisième fois.

MANICAMP. – C'est possible ! mais je vous aime tant !

---

1. *Protecteur* : personne de pouvoir qui protège et favorise une personne de rang inférieur.

2. *Vous allez ! vous allez !* : comme vous y allez ! comme vous allez vite en besogne !

3. *Contrat* : contrat de mariage, fait devant notaire.

4. *Prince du sang* : prince de sang royal, descendant de Saint Louis.

5. *L'état de vos biens* : la liste de ce que vous possédez, qui est nécessaire pour établir le contrat de mariage.

6. *Il me garrotte* : il m'attache solidement comme un prisonnier.

FOLLEVILLE. – Voyons, Manicamp, pas d'exaltation[1]… Qu'est-ce que je vous ai fait pour être aimé comme ça ?

80 MANICAMP. – Voici comment ça m'est venu. Nous chassions le canard sauvage…

FOLLEVILLE. – Ah ! bah ! vous pensez encore à cette vieille histoire ?

MANICAMP. – Toute ma vie, Folleville, toute ma vie ! car sans 85 vous… sans votre magnanimité[2]…

FOLLEVILLE. – À quoi bon rappeler ?…

MANICAMP. – Si, si, je me suis conduit à votre égard comme un palefrenier[3]… que voulez-vous ! Je suis vif, je m'échauffe, je m'emporte comme une soupe au lait… et 90 je deviens d'une brutalité ! *(Reprenant.)* Nous chassions donc le canard…

FOLLEVILLE. – Assez, assez, je la connais…

MANICAMP. – Permettez… ce sera mon châtiment[4]. *(Reprenant.)* Nous chassions le canard… aux environs de 95 Versailles ; nous marchions à petits pas, dans les roseaux qui bordent l'étang de Saint-Cucufa[5]. Tout à coup, vous me dites avec une grande sagacité[6] : «Marquis, pour approcher les canards, il faut prendre le vent.» Je vous réponds : «C'est juste, il vient de l'ouest, tournons à 100 droite. – Il vient de l'est, répliquez-vous, tournons à gauche. – Par exemple ! si ce vent-là vient de l'est !… je vous dis qu'il vient de l'ouest. – Je vous dis qu'il vient de

---

1. *Pas d'exaltation* : ne vous enflammez pas.

2. *Votre magnanimité* : votre générosité, votre grandeur d'âme.

3. *Un palefrenier* : une personne qui s'occupe de l'entretien des chevaux.

4. *Mon châtiment* : ma punition.

5. *L'étang de Saint-Cucufa* est situé près de Rueil-Malmaison, au milieu d'un bois faisant partie des terrains de chasse du roi Louis XV.

6. *Grande sagacité* : grande finesse d'esprit.

l'est ! » À ce moment, brrrou ! une bande de canards sort des roseaux… pan ! je tire.

105 FOLLEVILLE. – Moi aussi…

MANICAMP. – Il en tombe un… aussitôt vous criez : « Il est à moi ! je l'ai tué ! – C'est un peu fort !… vous avez tué ce canard-là, vous ? – Oui, j'ai tué ce canard-là, moi ! – Ça n'est pas vrai ! – Marquis ! – Chevalier !… » Alors,
110 ma diable de tête se monte, se monte[1]… vous me prenez le bras… je vous repousse : « Puisque tu l'as tué, apporte !… » et paf ! vous voilà dans l'étang !

FOLLEVILLE. – De tout mon long.

MANICAMP. – Au même instant, la chasse débouche[2], le roi
115 en tête. Louis XV, la fine fleur de la courtoisie[3] !… Que faire ? une pareille brutalité ! j'étais perdu, déshonoré !… enfin, on vous repêche, on vous questionne… Moi, j'enviais le sort des poules d'eau… pour plonger. « Rien de plus simple, répondez-vous avec calme, je causais avec
120 Manicamp, mon pied a glissé et je suis tombé… » À ces mots, Folleville ! ah ! je sentis une douce larme perler sous mes longs cils bruns. J'étais sauvé !

FOLLEVILLE. – Oui, mais le lendemain je me présentais chez vous avec deux témoins[4].

---

1. *Ma diable de tête se monte, se monte* : je suis de plus en plus en colère.

2. *Débouche* : arrive très vite.

3. *La fine fleur de la courtoisie* : le plus raffiné des hommes, conformément aux codes de la chevalerie du Moyen Âge.

4. Les règles du duel supposent que la personne offensée désigne deux témoins et les envoie à son adversaire, qui en nomme également deux. S'ils estiment que le tort est réel, les quatre témoins fixent les conditions du duel. La personne offensée peut choisir les armes (l'épée ou le pistolet). Celles-ci sont fournies par les témoins et leur attribution se fait par tirage au sort.

MANICAMP. – Un duel! avec vous!… je n'eus que la force de vous dire : «Ah! Folleville! mon bon Folleville! embrassons-nous, Folleville!»

FOLLEVILLE, *se méprenant*[1] *et lui ouvrant les bras.* – Avec plaisir, Mani!… ah! non!

MANICAMP. – Alors, je vous offris ce que j'avais de plus précieux, ma fille, un trésor, un ange, une perle!

FOLLEVILLE. – Certainement, mais…

MANICAMP

AIR : *Avec un fil pareil.*

Si nous voyons un plongeur intrépide
De l'océan bravant l'épouvantail,
Descendre au fond d'un élément perfide[2]…
C'est pour cueillir la perle ou le corail;
De même, hélas! un jour, dans une mare
N'avez-vous pas plongé comme un goujon[3]?
Je vous devais, mon cher, la perle rare,
Moi qui vous ai procuré le plongeon;
Ma fille doit être la perle rare
Qui dédommage à l'instant du plongeon.

D'ailleurs, vous l'aimez.

FOLLEVILLE. – Permettez…

MANICAMP. – On ne peut pas ne pas aimer ma fille!

FOLLEVILLE, *à part.* – Allons, il n'y a pas à hésiter. *(Haut.)* Croyez, marquis, que c'est après avoir mûrement réfléchi…

Bruit de vaisselle cassée à gauche.

---

1. *Se méprenant* : comprenant de travers les paroles de Manicamp.
2. *Perfide* : trompeur.
3. *Goujon* : petit poisson d'eau douce.

Scène 3

FOLLEVILLE, MANICAMP, BERTHE

150 BERTHE, *dans la coulisse de gauche, avec colère.* – Vous êtes une sotte ! une impertinente ! une maladroite !

MANICAMP. – Ma fille ! qu'y a-t-il donc ?

BERTHE, *entrant par la gauche.* – Oh ! je suis furieuse !… vous savez bien, mon perroquet… mon beau perroquet bleu ?…

155 MANICAMP. – Oui.

BERTHE. – Eh bien, Marton[1] a laissé sa cage ouverte et il s'est envolé !

MANICAMP. – Ah ! mon Dieu ! et qu'est-ce que tu as fait ?

BERTHE. – J'ai cassé un cabaret[2] de porcelaine, vlan !

160 MANICAMP. – Ah ! et dans quel but ?

BERTHE. – Dame[3] ! puisque mon perroquet s'est envolé.

Elle remonte[4] et va à la fenêtre de droite.

MANICAMP. – C'est juste. *(À Folleville.)* Elle est charmante… c'est tout mon portrait… Berthe…

165 BERTHE. – Mon père…

MANICAMP. – Voilà Folleville… tu ne veux donc pas saluer Folleville ?

BERTHE. – Ah ! pardon !… *(Saluant Folleville.)* Monsieur…

FOLLEVILLE, *saluant.* – Mademoiselle !… *(À part.)* Elle me
170 paraît encore plus petite qu'hier.

MANICAMP. – Quand tu es entrée, le chevalier me peignait son amour sous des couleurs…

---

1. *Marton* : nom fréquemment donné aux servantes de théâtre.
2. *Cabaret* : petit meuble ou coffret contenant un service à liqueurs.
3. *Dame !* : adverbe exclamatif qui marque l'affirmation.
4. *Elle remonte* : elle se dirige vers le fond de la scène.

FOLLEVILLE. – Moi?

MANICAMP. – Brûlantes! oh! mais brûlantes! Continuez,
175   chevalier…

BERTHE. – En vérité, Monsieur est bien bon…

FOLLEVILLE, *d'un air contraint*[1]. – Certainement, mademoiselle… quand il s'agit… d'une personne aussi jolie, aussi
spirituelle, aussi…

180 MANICAMP, *à part.* – Tout ça, c'est froid! c'est froid! *(Haut.)*
Ce pauvre chevalier… tu l'intimides… lui qui était si
bouillant tout à l'heure… car tu ne sais pas… il me
pressait[2], il me pressait!

BERTHE. – Pour quoi?

185 MANICAMP. – Pour votre mariage. J'avais beau lui dire:
«Mais, chevalier, il faut le temps, que diable! le contrat,
les publications[3], la corbeille[4]…» Sais-tu ce qu'il me
répondait: «Mariez-nous! mariez-nous! mariez-nous!»

FOLLEVILLE. – Mais permettez…

190 MANICAMP, *à Folleville.* – Impétueux[5] chevalier! *(À Berthe.)*
Et, dans sa joie, il m'a chargé de t'offrir un gage[6]… cet
anneau des fiançailles.

FOLLEVILLE. – Moi?

MANICAMP, *bas à Folleville.* – Taisez-vous donc! j'y ai pensé
195   pour vous.

BERTHE. – Ah! le beau diamant!

---

1. *D'un air contraint* : en se forçant visiblement.

2. *Il me pressait* : il insistait pour que le mariage fût conclu le plus
rapidement possible.

3. *Les publications* : la publication des bans, qui annoncent publique-
ment un futur mariage.

4. *Corbeille* : voir note 3, p. 43.

5. *Impétueux* : rapide.

6. *Un gage* : une garantie.

MANICAMP. – Voyons… *(L'examinant.)* Oh ! c'est magnifique… c'est trop beau, chevalier, vous la gâtez, allons, vous nous gâtez !…

200 FOLLEVILLE. – Mais non… je ne puis souffrir[1]…

MANICAMP. – Tenez, Folleville, embrassez ma fille.

FOLLEVILLE, *effrayé*. – Hein ?

MANICAMP. – Allons, du feu ! morbleu ! du feu !

FOLLEVILLE. – Mais je ne sais pas si Mademoiselle…

205 BERTHE. – Puisque papa le permet…

FOLLEVILLE. – Certainement… mais…

BERTHE, *avec impatience*. – Mais dépêchez-vous donc ! est-ce que vous seriez lent ?

MANICAMP. – Lui ? c'est un salpêtre[2] ! *(Le poussant.)* Allez
210 donc ! *(Folleville embrasse Berthe sur une joue et passe à droite.)* Et l'autre ?

FOLLEVILLE. – L'autre ?… ah !… oui !…

Folleville embrasse lentement l'autre joue.

BERTHE, *à part*. – Il me fait bouillir…

215 MANICAMP, *à Folleville*. – Eh bien, en êtes-vous mort ?

FOLLEVILLE, *tristement*. – Je suis au comble de la joie. *(À part.)* Impossible de ne pas l'épouser maintenant… je vais écrire à mon oncle pour rompre mon mariage avec ma cousine Aloïse. *(Haut.)* Marquis, où pourrais-je trouver ce
220 qu'il faut pour écrire ?

MANICAMP. – Là, dans ce cabinet[3]. Mais revenez vite, car je ne peux pas me passer de vous…

Folleville entre à droite, premier plan.

---

1. *Souffrir* : accepter.
2. *C'est un salpêtre* : c'est un homme explosif (le salpêtre est un mélange de nitrates utilisé notamment pour préparer la poudre à canon).
3. *Cabinet* : pièce où l'on se retire pour travailler ou converser en privé.

Scène 4

MANICAMP, BERTHE

MANICAMP. – Ah ça ! maintenant, à nous deux, mademoi-
225   selle... j'ai à vous gronder.

BERTHE. – Moi, mon père ?

MANICAMP. – Oui ; je n'ai pas voulu le faire devant Folleville,
pour ne pas lui ôter ses illusions. Approchez, ma fille...
hier, je vous ai permis d'aller au bal du surintendant[1] en
230   compagnie de votre tante, la duchesse de Pontmouchy.

BERTHE. – Oui, mon père.

MANICAMP. – À ce bal, qu'avez-vous fait ?

BERTHE, *hésitant*. – Dame !... j'ai dansé le menuet[2].

MANICAMP. – Et après ?...

235 BERTHE. – J'ai encore dansé le menuet.

MANICAMP. – Et pendant ce second menuet, qu'est-il
advenu ?

BERTHE. – Mais, papa...

MANICAMP. – Qu'est-il advenu ?

240 BERTHE. – Écoutez donc... ce n'est pas ma faute : j'avais
pour danseur un monsieur... si ridicule.

MANICAMP. – Le vicomte de Chatenay ridicule... un homme
très bien en cour, le favori du prince de Conti... du mari
de votre marraine... et vous avez osé... lui donner un
245   soufflet[3] !... ah ! Berthe !

BERTHE, *câlinant*. – D'abord, papa, ce n'est pas un soufflet...
c'est une petite tape... sur la joue.

---

1. Surintendant : officier chargé de la haute surveillance d'une adminis-
tration.

2. Le menuet : danse de bal à trois temps, adoptée sous Louis XIV.

3. Un soufflet : une gifle.

MANICAMP. – Une petite tape sur la joue… ah ! Berthe !

BERTHE, *se montant.* – Ma foi ! il l'avait bien mérité : quand on ne sait pas danser, quand on est gauche[1], quand on est maladroit, on ne se lance pas dans un menuet, on n'expose pas une jeune fille à devenir la risée[2] des assistants… Tant pis ! tant pis ! tant pis !

MANICAMP. – Ta ta ta ! la voilà partie !… mais enfin que t'a fait le comte de Chatenay pour nécessiter cet emploi de la force brutale ?

BERTHE. – Ce qu'il m'a fait ? d'abord il m'a fait manquer trois fois ma figure ; au lieu de chasser[3], Monsieur déchasse[4] !…

MANICAMP. – Eh bien ?

BERTHE. – Nous recommençons et, au lieu de déchasser, Monsieur chasse.

MANICAMP. – Eh bien ?

BERTHE. – Enfin, au moment où je lui faisais ma révérence… une révérence que j'avais travaillée… qu'est-ce que je trouve ?… son dos ! Monsieur saluait… dans l'autre sens !… on riait, on se moquait de nous et, ma foi, la colère !… *(Trépignant.)* Tant pis ! tant pis ! tant pis !

MANICAMP, *à part, avec satisfaction.* – Je me reconnais là ; elle est charmante ! *(Haut, sérieusement.)* Ma fille, vous êtes une sotte !

BERTHE. – Mais pourtant…

MANICAMP. – Croyez-vous qu'un soufflet puisse enseigner le menuet à celui qui l'ignore ?

---

1. *Gauche* : maladroit, empoté.
2. *La risée* : la cible des rires.
3. *Chasser* : faire un pas chassé à droite.
4. *Déchasse* : fait un pas chassé à gauche.

275 BERTHE. – Non, papa.

MANICAMP. – Croyez-vous qu'un cabaret[1] de porcelaine cassé soit un moyen de rappeler un perroquet qui s'envole ?

BERTHE. – Non, papa.

MANICAMP. – Très bien. Maintenant, concluez !... concluez !

280 BERTHE. – C'est plus fort que moi... quand on me contrarie... j'ai envie d'égratigner !

MANICAMP. – Mais que va-t-on dire de toi dans le monde ?... une jeune personne qui boxe avec ses danseurs !... On ne t'invitera plus.

285 BERTHE, *avec coquetterie*. – Oh ! que si !

MANICAMP. – Et le vicomte de Chatenay !... je suis passé ce matin chez lui pour lui faire mes excuses, je ne l'ai pas trouvé. Sais-tu qu'il serait en droit de me demander une réparation ?... nous pourrions croiser le fer[2].

290 BERTHE. – Oh ! mon Dieu !

MANICAMP. – Heureusement qu'on le dit homme d'esprit[3]... il se contentera de se moquer de toi.

BERTHE. – Comment ! vous croyez ?...

MANICAMP. – Parbleu ! il va te cribler, te larder, te lapider[4],
295 et ce sera bien fait !

BERTHE. – Ah ! mon Dieu ! mon Dieu ! mais pourquoi ne sait-il pas danser le menuet ?

MANICAMP, *prêchant*[5]. – Ma fille, que cette leçon vous serve...

300 BERTHE. – Mais, mon père...

---

1. *Cabaret* : voir note 2, p. 48.
2. *Croiser le fer* : se battre en duel.
3. *Homme d'esprit* : homme spirituel, qui a le sens de l'humour.
4. *Te cribler, te larder, te lapider* : te couvrir d'injures, te percer de coups, te jeter des pierres.
5. *Prêchant* : sermonnant.

MANICAMP, *continuant*. – Qu'elle vous apprenne à commander à vos passions…

BERTHE. – Peut-être qu'en voyant le vicomte…

MANICAMP, *continuant*. – Que toujours une dignité calme…

305 BERTHE. – On pourrait le prier…

MANICAMP, *continuant*. – Une égalité parfaite[1]…

BERTHE. – Le supplier…

MANICAMP, *éclatant*. – Mais écoutez-moi donc, sacrebleu ! je vous prêche la patience, la modération, mille tonnerres !
310 et vous ne m'écoutez pas, ventrebleu[2] !

BERTHE. – C'est que vous prêchez… en jurant…

MANICAMP. – C'est juste, c'est plus fort que moi, c'est dans le sang !… *(Remontant.)* Tiens ! je vais chez mon notaire… pour le contrat… ça me rafraîchira… Toi, tu tiendras
315 compagnie à Folleville… ça l'émoustillera[3]… c'est-à-dire… enfin… tu comprends que… Bonsoir, ma fille.

Manicamp sort par le fond à gauche.

Scène 5

BERTHE, *seule*.

C'est vrai que je suis un peu vive… c'est égal[4], hier, j'ai été trop loin… quand je pense que, devant toute la cour… au

---

1. *Une égalité parfaite* : une humeur qui ne varie pas.
2. *Sacrebleu, mille tonnerres, ventrebleu* : jurons familiers marquant ici l'impatience et qui contrastent comiquement avec la demande du père.
3. *Ça l'émoustillera* : ça le mettra de bonne humeur, ça l'échauffera.
4. *C'est égal* : malgré tout, quoi qu'il en soit.

320 beau milieu du salon, j'ai osé... et un bon encore[1] ! je l'ai toujours dans l'oreille. Que va-t-on penser de moi ?... et le vicomte !... un homme que je suis exposée à rencontrer tous les jours... oh ! s'il se présentait devant moi... il me semble que je mourrais de honte !

Scène 6

BERTHE, LE VICOMTE DE CHATENAY

325 CHATENAY, *entrant par le fond à droite.* – Personne !... M. le marquis de Manicamp ?

BERTHE. – Ah ! mon Dieu ! c'est lui !

CHATENAY, *apercevant Berthe.* – Eh ! mais... je ne me trompe pas...

330 BERTHE, *à part.* – Ah ! je voudrais bien me sauver...

CHATENAY. – Ma jolie danseuse...

BERTHE, *sans le regarder.* – Oui, monsieur... c'est moi qui...

CHATENAY. – Enchanté, mademoiselle, de renouveler connaissance avec une personne... dont les rapports...

335 BERTHE. – C'est moi, monsieur, qui suis flattée... *(Saluant.)* J'ai bien l'honneur de vous saluer.

CHATENAY. – Eh quoi ! vous me quittez ?...

BERTHE. – Je crois qu'on m'appelle...

CHATENAY. – J'ai beau prêter l'oreille[2]...

340 BERTHE. – C'est que... mon père est sorti[3]...

CHATENAY. – Ah ! tant mieux !

---

1. *Et un bon encore !* : et un bon soufflet, en plus !
2. *Prêter l'oreille* : tendre l'oreille.
3. Selon les usages de l'époque, une jeune fille ne peut pas recevoir seule un homme qui n'est pas de sa famille.

BERTHE. – Comment ?

CHATENAY. – Si vous le permettez… nous l'attendrons… en causant.

345 BERTHE. – Oui, monsieur. *(à part.)* Nous allons causer !

CHATENAY. – Vous paraissez aimer vivement la danse, mademoiselle ?

BERTHE. – Oui, monsieur.

CHATENAY. – Et vigoureusement le menuet ?

350 BERTHE, *à part.* – Nous y voilà.

CHATENAY. – Eh bien, vous avez raison, car vous y déployez une grâce, une souplesse, une vivacité… une vivacité surtout !

BERTHE, *à part.* – Il veut parler de…

355 *Elle fait le geste de donner un soufflet.*

CHATENAY. – J'ai beaucoup voyagé… j'ai vu danser à peu près toutes les cours de l'Europe, et, sans flatterie, nulle part je n'ai rencontré cette élégance facile[1], cette distinction sans raideur…

360 BERTHE. – Ah ! monsieur ! *(À part.)* Mais il n'est pas méchant du tout. *(Haut, avec hésitation.)* Et vous, monsieur, vous ne dansez donc pas ?

CHATENAY. – Moi ? quelquefois… hier par exemple…

BERTHE, *à part.* – Aïe !

365 CHATENAY. – Mais j'ai si peu de succès…

BERTHE, *à part.* – J'ai eu tort de lui demander ça.

CHATENAY. – Pour que je me lance, pour que je me décide à exposer en public ma gaucherie naturelle, il faut que je sois entraîné, fasciné…

370 BERTHE. – Ah ! monsieur ! *(À part.)* Dire que j'ai donné un soufflet à ce grand monsieur-là.

---

1. Cette élégance facile : cette élégance pleine d'aisance.

CHATENAY. – Alors, je perds la tête... j'oublie mon insuffisance... je vais... je vais... jusqu'à ce qu'un accident imprévu... Quelquefois je glisse sur le parquet... quelquefois je me cogne contre un meuble... ou contre... autre chose... ça me réveille, je rentre en moi-même[1]... je suis honteux du désordre que j'ai causé... et je n'existe plus jusqu'au moment où il m'est permis de présenter à ma danseuse mes excuses et mes regrets.

BERTHE. – Des excuses ? mais c'est moi qui vous en dois... et je vous prie bien d'oublier un mouvement... d'impatience !

CHATENAY. – L'oublier ? jamais. Il y a dans ce qui m'est arrivé... par votre intermédiaire... je ne sais quoi d'imprévu, de piquant[2], d'original qui me séduit... qui m'enchante... Croiriez-vous que, depuis hier... cette charmante petite... rencontre ne me sort pas de la tête... elle me trotte... elle me galope... enfin je n'y tenais plus... j'avais besoin de vous voir, de vous dire...

BERTHE. – Ah ! monsieur, n'accusez que ma vivacité...

CHATENAY. – Vous êtes vive ? oh ! j'adore ces caractères-là !... mais, moi aussi, je suis vif, emporté, bouillant...

BERTHE. – Ah bah !

CHATENAY. – Tenez, ce matin, au moment de sortir, j'ai brisé un vase de Chine.

BERTHE. – Et moi un cabaret[3] de porcelaine.

CHATENAY. – Vraiment ! ah ! c'est charmant ! ça fait tant de bien de briser, de casser...

---

1. *Je rentre en moi-même* : je réfléchis sur moi-même.
2. *Piquant* : pimenté.
3. *Cabaret* : voir note 2, p. 48.

BERTHE. – Oh ! oui…

400 CHATENAY. – Et puis après, le dos tourné, on n'y pense
plus.

BERTHE. – C'est comme moi…

CHATENAY

AIR

Quand le jour luit, quand l'orage s'apaise,
On redevient doux comme un Benjamin[1].
405 Ça ne dit pas qu'on ait l'âme mauvaise.

BERTHE

C'est comme moi, j'ai le cœur sur la main.

CHATENAY

Ah ! j'aurais dû m'en douter, je l'avoue…

BERTHE

Pourquoi cela ?

CHATENAY

C'est qu'à ne pas mentir,
410 Hier au bal, j'avais bien cru sentir
Votre cœur tout près de ma joue.

BERTHE. – Monsieur… *(À part.)* C'est qu'il est aimable ! très
aimable !

CHATENAY. – Il me reste une prière à vous adresser…

415 BERTHE. – Laquelle ?

CHATENAY. – Seriez-vous assez bonne… pour m'apprendre…

BERTHE. – Quoi ?

CHATENAY. – Le menuet ?

BERTHE, *à part*. – Par exemple ! *(Haut.)* Mais, monsieur…

420 CHATENAY. – C'est que… comme j'ai l'intention de vous
inviter souvent… je craindrais de vous fatiguer… le
bras !… Voyons, un menuet, je vous en prie !

_____

1. *Doux comme un Benjamin* : doux comme le petit dernier d'une famille.

BERTHE. – Mais, monsieur, on ne danse pas comme ça dans le jour.

425 CHATENAY, *remontant.* – Voulez-vous que je revienne ce soir ?

BERTHE, *le suivant.* – Mais non, monsieur.

CHATENAY. – Alors, un petit menuet.

BERTHE. – Oh ! que vous êtes tourmentant[1]… Allons, puisque vous le voulez absolument… *(Elle se pose.)* D'abord, si

430 vous me regardez comme ça… je n'oserai jamais…

CHATENAY. – D'un autre côté, si je ne vous regarde pas, j'apprendrai difficilement…

BERTHE. – On peut voir sans regarder.

CHATENAY. – Ah !

435 BERTHE. – Nous autres demoiselles, nous voyons très bien, très bien !… et nous ne regardons jamais.

CHATENAY, *à part.* – Petite tartuffe[2] !

BERTHE. – Je commence.

AIR du menuet d'Exaudet[3].

BERTHE, *dansant.*

Gravement,
440 Noblement
On s'avance :
On fait trois pas de côté,
Deux battus[4], un jeté[5],
Sans rompre la cadence.

---

1. *Que vous êtes tourmentant* : que vous me tourmentez, que vous me martyrisez !

2. *Petite tartuffe* : petite hypocrite.

3. *Menuet d'Exaudet* : chanson populaire du XVIIIe siècle, dont la musique a été composée par André Joseph Exaudet (1710-1762) sur des paroles de Charles Simon Favart (1710-1792).

4. *Deux battus* : deux croisements très rapides des jambes.

5. *Un jeté* : un saut lancé par une seule jambe et reçu par l'autre.

CHATENAY

445 Ah! vraiment!

C'est charmant!

Je me lance;

Par votre exemple entraîné,

Oui, j'aime en forcené[1]

450   La danse.

BERTHE

Mettez-y donc plus de grâce!

CHATENAY

Faut-il reprendre ma place?

BERTHE

Non, chassez,

Rechassez…

455   En mesure!…

Chatenay salue en tournant le dos.

Saluez… mais pas par là!

Vers moi tournez donc la

     Figure!

CHATENAY

460   M'y voici!

C'est ainsi,

Je suppose;

Pardon si je suis distrait,

Mon professeur en est

465   La cause.

(Vivement.) Mademoiselle, je n'y tiens plus! je ne sais pas si c'est le menuet ou l'amour, mais je vous aime, je vous adore et je demande à vous épouser…

---

1. *J'aime en forcené* : j'aime comme un fou.

BERTHE. – Comment, monsieur?

470 CHATENAY. – Si vous me refusez, je me jette par la fenêtre.

Il court vivement à la fenêtre de droite et l'ouvre.

BERTHE. – Ah!

CHATENAY. – Prenez garde, je suis très vif!

BERTHE, *effrayée.* – Arrêtez, monsieur, arrêtez!

475 CHATENAY, *tenant la fenêtre.* – M'aimez-vous?

BERTHE. – Mais… *(Sur un mouvement de Chatenay.)* Oui, monsieur!… oui, monsieur!

CHATENAY. – Ce n'est pas assez… M'adorez-vous?

BERTHE. – Dame!… *(Nouveau mouvement de Chatenay.)* Oui,
480 monsieur! mais fermez la fenêtre!

CHATENAY. – Consentez-vous à m'épouser?

BERTHE. – Avec plaisir! mais fermez la fenêtre.

CHATENAY. – Ah! mademoiselle, tant de bontés! pour moi, que vous connaissez à peine…

485 BERTHE. – Il le faut bien! vous avez une manière si pressante…
Ah! mon Dieu! et Folleville!

CHATENAY. – Qu'est-ce que c'est que ça, Folleville.

BERTHE. – Un prétendu[1] qui doit m'épouser dans quelques jours.

490 CHATENAY. – Vous l'aimez?

BERTHE. – Mais pas du tout!

CHATENAY. – Eh bien, alors?…

BERTHE. – C'est qu'il m'a donné une bague, une très jolie bague.

495 CHATENAY. – Vous la lui rendrez.

BERTHE. – C'est juste!… j'en achèterai une autre quand je serai mariée.

---

1. *Un prétendu* : un fiancé.

CHATENAY. – Vous en aurez dix ! vous en aurez vingt ! vous
en aurez cent !

500 BERTHE. – Ah çà ! et mon père ?

CHATENAY. – Qu'est-ce que ça lui fait, moi ou Folleville ?

BERTHE. – Au fait[1].

CHATENAY. – Je suis riche, je suis noble, je vous aime... Il ne
peut rien répondre à cela.

505 BERTHE. – Certainement.

CHATENAY. – Où est-il ?

BERTHE. – Chez le notaire pour le contrat.

CHATENAY. – J'y cours, je lui fais ma demande[2] et...

BERTHE. – Mais, monsieur...

510 CHATENAY. – Je vais rouvrir la fenêtre !

BERTHE, *vivement*. – Partez ! partez !...

Ensemble

CHATENAY

AIR du quadrille[3] de Bayard *(Pantalon[4])*.

Oui, dès aujourd'hui, je veux votre main
Et ne prétends pas attendre à demain,
515 Je suis, j'en suis sûr, l'époux qu'il vous faut,
Vous me reverrez bientôt.

BERTHE

Quoi ! déjà vraiment vous voulez ma main
Et sans vouloir même attendre à demain ?
Vous êtes, je crois, l'époux qu'il me faut,
520 Mais aujourd'hui, c'est bientôt.

---

1. *Au fait* : tout bien considéré.

2. *Ma demande* : ma demande en mariage

3. *Quadrille* : danse à la mode au XIXe siècle, où les danseurs exécutent
une série de figures.

4. *Pantalon* : la première des cinq figures du quadrille ordinaire.

Scène 7

BERTHE ; *puis* FOLLEVILLE

BERTHE, *seule*. – Ah ! je suis encore tout étourdie !… Eh bien, donnez donc des soufflets aux messieurs !… il est très bien, le vicomte… et puis il a une manière d'arranger les choses… il est évident que, si je ne l'épouse pas, je serai

525 malheureuse… oh ! mais très malheureuse !… d'abord nous nous aimons… C'est drôle, comme ça vient vite !… ça dépend aussi des personnes… avec Folleville ça n'est pas venu du tout… je vais lui rendre sa parole, sa bague et le prier de me laisser tranquille… *(Elle remonte.)* Juste-

530 ment le voici.

FOLLEVILLE, *sortant du cabinet de droite une lettre à la main*. – Allons, le sort en est jeté[1] ! Pauvre Aloïse ! il est écrit que je ne t'épouserai pas.

BERTHE, *à part*. – Du courage ! *(Haut.)* Monsieur le cheva-

535 lier…

FOLLEVILLE. – Mademoiselle ?

BERTHE. – Vous m'aimez, je le sais, et je ne vous en veux pas pour ça… de mon côté, j'ai fait ce que j'ai pu… et certainement ce n'est pas ma faute si… mais enfin…

540 que voulez-vous !… *(À part.)* C'est très difficile à dire, ces choses-là.

FOLLEVILLE. – Expliquez-vous… je ne comprends pas…

BERTHE. – Enfin, monsieur, *(résolument[2])* j'en aime un autre…

FOLLEVILLE, *avec joie*. – Comment !

---

1. *Le sort en est jeté* : tout est décidé.
2. *Résolument* : avec fermeté.

545 BERTHE, *vivement*. – Un jeune homme très bien, qui danse
très mal et à qui j'ai donné des gages[1]...

FOLLEVILLE. – Est-il possible ? ah ! mademoiselle !

BERTHE, *de même*. – Ainsi, reprenez votre parole[2], voici votre
bague, je n'ai plus rien à vous, nous sommes quittes[3]...
550 *(Avec impatience.)* Mais reprenez donc votre bague !

FOLLEVILLE, *à part*. – Elle n'est pas à moi... *(Haut.)* En conscience
je ne le puis.

BERTHE, *se montant*. – Comment, monsieur, vous persistez à
m'épouser... ah ! c'est trop fort !

555 FOLLEVILLE. – Permettez...

BERTHE, *s'animant*. – Après ce que je vous ai dit ? vous voulez
faire violence à mon cœur, à mes sentiments ?...

FOLLEVILLE. – Mais non...

BERTHE

AIR : *Tourmentez-vous bien* (Paul Henrion[4]).

Prenez garde à vous !
560 Je serais méchante !
En vain, mon époux
Patient et doux,
Chaque jour sera
Et se montrera
565 D'humeur indulgente,
Trahissant ses vœux,
Je prétends, je veux
Qu'il soit malheureux !

---

1. *J'ai donné des gages* : j'ai fait des promesses.
2. *Reprenez votre parole* : oubliez votre engagement.
3. *Nous sommes quittes* : nous sommes libérés de toute obligation.
4. *Paul Henrion* : compositeur de chansons (v. 1817-1901).

Les théâtres de vaudeville au XIXe siècle

1. Première page : Jean Béraud, *Le Boulevard des Capucines devant le théâtre du Vaudeville* (1889). Voir dossier, p. 146.

2. Première page : *Le Théâtre des Variétés et le passage des Panoramas, boulevard Montmartre* (anonyme, v. 1825).

3. Ci-dessus : Jean Béraud, *Représentation au théâtre des Variétés* (1888). Voir dossier, p. 147.

Le mariage forcé

William Hogarth, *Le Contrat de mariage*, premier tableau du cycle *Le Mariage à la mode* (1744). Voir dossier, p. 118.

Jouer une scène

© AFP photos

© Gerardo Gomez / AFP photos

© Adalberto Roque / AFP photos

© Studio Lipnitzki / Roger-Viollet

© Ramon Cavallo / AFP photos

© R.A. / Gamma / Eyedea Presse

© Colette Masson / Roger-Viollet

© Jean-François Cheval / Roger-Viollet

Scènes muettes
du mime Marceau
(1923-1997).
Voir dossier, p. 144.

J'entends aussi, pour allumer sa rage,

570 Prendre à son nez[1] et choisir sous ses yeux

Des amoureux!... oui, beaucoup d'amoureux!

Je ne sais pas ce que c'est, mais je gage[2]

Qu'en m'informant auprès du voisinage

On me le dit, vraiment, à qui mieux mieux[3]!

575 FOLLEVILLE, *parlé.* – Mais enfin, mademoiselle...

                BERTHE, *reprenant l'air.*

    Prenez garde à vous,

    Etc.

FOLLEVILLE. – Mais je ne vous aime pas! je ne vous aime
pas!

580 BERTHE. – Comment?... alors, reprenez donc votre bague!

FOLLEVILLE, *la prenant, à part.* – Au fait, je la rendrai à
Manicamp. *(À Berthe.)* Ah! mademoiselle! vous me
comblez de joie... car, moi aussi, j'en aime une autre...

BERTHE. – Ah bah!

585 FOLLEVILLE. – Et cette lettre, c'était pour rompre. *(Il la déchire.)*
Pauvre Aloïse!

BERTHE. – Ainsi vous ne m'en voulez pas?...

FOLLEVILLE. – Au contraire... puisque je ne vous ai jamais
aimée... je vous trouve trop petite.

590 BERTHE. – Par exemple!

FOLLEVILLE. – C'est votre père, c'est Manicamp... qui, à la
chasse aux canards... mais, du moment que je ne vous
épouse plus... vous êtes la plus adorable des femmes! *(Il
lui embrasse la main.)* Tenez! tenez! tenez!

---

1. *À son nez* : sous son nez.

2. *Je gage* : je parie.

3. *On me le dit, vraiment, à qui mieux mieux* : tout le monde me le
dit.

Scène 8

FOLLEVILLE, MANICAMP

595 MANICAMP, *paraissant au fond, à droite.* – Bravo, mon gendre !
Bravo !

BERTHE. – Oh !

Elle se sauve par la gauche.

MANICAMP. – Ah ! mon compliment[1], Folleville !… Je me
600 disais toujours : « Quand il sera échauffé, il ira très bien…
il s'agit de l'échauffer. »

FOLLEVILLE. – N'allez pas croire au moins…

MANICAMP. – Que vous embrassiez ma fille ?

FOLLEVILLE. – Si… mais qu'est-ce que ça prouve ?… *(À part.)*
605 Allons, il le faut. *(Haut.)* Marquis, j'ai à vous parler sérieusement.

MANICAMP. – À moi ? je vous écoute.

FOLLEVILLE. – Croyez que c'est après avoir mûrement réfléchi…

610 MANICAMP. – À quoi ?

FOLLEVILLE. – C'est bien malgré moi… mais… enfin je ne
pourrai jamais épouser votre fille.

MANICAMP. – Comment ? ah ! voilà du nouveau ! et pourquoi,
monsieur, pourquoi ?

615 FOLLEVILLE. – D'abord mademoiselle Berthe aime quelqu'un.

MANICAMP. – Ce n'est pas vrai.

FOLLEVILLE. – Et moi-même, de mon côté…

MANICAMP. – Ce n'est pas possible… vous aimez Berthe !

FOLLEVILLE, *résolument.* – Eh bien, non, là !

620 MANICAMP. – On ne peut pas ne pas aimer Berthe.

---

1. *Mon compliment* : je vous félicite.

FOLLEVILLE. – Cependant…

MANICAMP. – Et, puisque vous aimez Berthe, vous épouserez Berthe !

FOLLEVILLE. – Voyons… écoutez-moi, marquis…

625 MANICAMP. – Je n'écoute rien ! Ne pas épouser ma fille, vous, mon meilleur ami ? je vous égorgerais plutôt !

FOLLEVILLE, *à part*. – Diable d'homme !

MANICAMP. – Je n'ai qu'une parole, moi, monsieur ! et c'est quand le mariage est prêt, quand le notaire va venir,
630 quand le prince de Conti est prévenu…

FOLLEVILLE. – Le prince ! je n'y pensais plus.

MANICAMP. – Quand la chose a pris un caractère public, officiel…

FOLLEVILLE, *à part*. – Le fait est qu'il est un peu tard…

635 MANICAMP. – Enfin, c'est au moment où je vous trouve seul avec ma fille… l'embrassant !… que vous venez me dire…

AIR

Voyons, monsieur, parlons raison,
Oubliez-vous que je suis père ?
640 Des filles de notre maison,
Quel usage entendez-vous faire ?
Sur leur front un baiser secret
Vaut d'un contrat les signatures
Et c'est un acte qui n'admet
645 Ni les renvois[1] ni les ratures !

FOLLEVILLE, *à lui-même*. – Allons, puisqu'il le faut… il n'y a qu'une lettre à récrire… *(à Manicamp)* et je vais de ce pas[2]…

---

1. *Renvois* : reports, retards.
2. *De ce pas* : dès maintenant.

MANICAMP, *le poursuivant les bras ouverts.* – Ah! Folleville!
650   mon cher Folleville!

FOLLEVILLE, *reculant.* – Adieu, adieu, Manicamp.

> *Il entre dans le cabinet à droite.*

Scène 9

MANICAMP; *puis* CHATENAY

MANICAMP. – Ce bon Folleville!… je sens une larme perler
sous mes longs cils bruns.

655 CHATENAY, *entrant très vivement par le fond à droite. Il est essoufflé.*
– Enfin! je vous trouve!

MANICAMP. – Le vicomte de Chatenay!… j'ai eu l'honneur
de me présenter chez vous.

CHATENAY. – Moi aussi… je suis venu ce matin.

660 MANICAMP. – Ah! je suis désolé.

CHATENAY. – On m'a dit que vous étiez chez votre notaire, je
suis allé chez votre notaire… vous veniez de repartir, je
suis reparti, j'ai pensé que je vous trouverais ici, je vous
y trouve, tout est pour le mieux.

665 MANICAMP. – Asseyez-vous donc, je vous en prie! que de
peine vous prenez… *(Ils s'asseyent.)* Croyez que je regrette
sincèrement l'injure…

CHATENAY. – Quelle injure?

MANICAMP. – Hier, au bal…

670 CHATENAY. – Ce n'est pas une injure… c'est une faveur!

MANICAMP. – Oh! c'est trop de bonté… mais je l'ai arrangée[1] de la belle façon, allez… je l'ai traitée de sotte…

---

1. *Je l'ai arrangée* : je l'ai traitée.

CHATENAY. – Qui ça ?

MANICAMP. – Ma fille.

675 CHATENAY. – Elle ! oh ! mais un instant ! je ne souffrirai pas[1]...

MANICAMP. – Comment ?

CHATENAY. – Votre fille est un ange, monsieur !

MANICAMP. – Je le sais bien... mais elle est trop vive, c'est
680 un défaut.

CHATENAY. – Ce n'est pas un défaut... c'est une qualité !

MANICAMP. – Cependant...

CHATENAY. – J'ai reçu un soufflet ! après ?... si je les aime, si
je ne m'en plains pas, ça ne regarde personne.

685 MANICAMP. – Convenez pourtant qu'elle a eu tort...

CHATENAY. – Je n'en conviens pas... quand on promet un
menuet on ne livre pas une fricassée[2] ! et j'ai livré une
fricassée !

MANICAMP, *à part.* – Il a livré une fricassée !... *(Haut.)* Enfin,
690 monsieur, que voulez-vous ?

CHATENAY. – Monsieur, j'aime votre fille !

MANICAMP. – Ça ne m'étonne pas. On ne peut pas ne pas
aimer Berthe. Après ?

CHATENAY. – J'ai cinquante mille écus de rente[3], je suis
695 vicomte *(se levant)* et j'ai l'honneur de vous demander sa
main !

MANICAMP, *se levant aussi.* – Monsieur... j'ai cinquante mille
écus de rente, je suis marquis, je suis son père, et j'ai le
regret de vous dire que c'est impossible.

700 CHATENAY. – Pourquoi ?

---

1. *Je ne souffrirai pas* : je ne supporterai pas.

2. *Une fricassée :* un ragoût.

3. *Rente* : revenu.

MANICAMP. – Je suis engagé avec Folleville.

CHATENAY. – Vous vous dégagerez.

MANICAMP. – N'y comptez pas.

CHATENAY, *se contenant.* – Marquis, je vous prie de remarquer
705   que j'y mets des formes[1]... j'ai l'honneur de vous demander la main de mademoiselle votre fille.

MANICAMP. – Et moi, j'ai l'honneur de vous la refuser.

CHATENAY, *se montant peu à peu.* – Ne me poussez pas à bout,
je vous préviens que je suis très vif.

710   *Il repousse son fauteuil.*

MANICAMP. – Qu'est-ce que ça me fait?... moi aussi, je suis
vif.

                                    Il repousse son fauteuil.

CHATENAY. – Voyons, ne nous emportons pas. Pourquoi ne
715   voulez-vous pas être mon beau-père?

MANICAMP. – Parce que... parce que vous ne me plaisez
pas.

CHATENAY. – Mais si je plais à votre fille?

MANICAMP. – Vous? c'est faux.

720 CHATENAY. – Marquis, je vous prie de remarquer que vous
êtes malhonnête.

MANICAMP. – Je suis comme je suis!

CHATENAY. – Ah!... Eh bien, alors, je l'épouserai malgré
vous.

725 MANICAMP. – Vous ne l'épouserez pas.

CHATENAY. – Je l'épouserai!

MANICAMP. – Ah çà! suis-je son père, oui, ou non?

CHATENAY. – Parbleu! pour la peine que ça vous a donné!

---

1. J'y mets des formes : j'agis courtoisement, en suivant les règles en
usage.

MANICAMP. – Vous êtes un faquin[1] !

730 CHATENAY. – Et vous un Cassandre[2] !

MANICAMP. – Un Cassandre ?... oh ! c'est trop fort ! m'insulter chez moi... Monsieur ! vous m'en rendrez raison[3].

CHATENAY. – Quand vous voudrez !

MANICAMP. – Tout de suite !

735 CHATENAY. – Me refuser sa fille ! *(Dégainant[4].)* En garde !

MANICAMP, *dégainant aussi.* – Un Cassandre ! en garde !

Ils croisent le fer.

CHATENAY, *abaissant son épée.* – Marquis, pour la dernière fois, j'ai l'honneur de vous demander la main de votre fille.

740 MANICAMP. – Vicomte ! pour la dernière fois, allez vous coucher !

CHATENAY

AIR des quadrilles du *Cadeau du Diable (pastourelle[5]).*

En garde... défendez-vous.

MANICAMP

Redoutez tout mon courroux[6].

CHATENAY

Et je serai son époux.

MANICAMP

745   Oui, si je meurs sous tes coups.

---

1. *Faquin* : homme sans valeur, quelqu'un qui n'agit pas comme un honnête homme (terme d'injure).

2. *Un Cassandre* : un vieillard ridicule (par référence à un personnage de la comédie-italienne).

3. *Vous m'en rendrez raison* : vous réparerez cet outrage, vous allez payer cette insulte.

4. *Dégainant* : sortant son épée de son fourreau.

5. *Pastourelle* : chanson où dialoguent un chevalier et une bergère.

6. *Mon courroux* : ma colère.

Scène 10

BERTHE. – Qu'y a-t-il donc ?... ce bruit !

MANICAMP. – Ma fille !... laisse-nous.

BERTHE. – Des épées ! *(À Chatenay.)* Que faites-vous ?

CHATENAY. – Vous le voyez... je fais ma demande.

750
> *Il remet son épée.*

BERTHE, *à Manicamp.* – Et vous ?

MANICAMP. – Moi, je suis en train de le remercier[1].

> *Il remet son épée.*

CHATENAY. – Oui, monsieur votre père me refuse.

755 BERTHE, *à son père.* – Pourquoi ?

CHATENAY. – Pourquoi ?

BERTHE. – Puisque nous nous aimons !

MANICAMP. – Mais...

BERTHE. – C'est de la tyrannie !...

760 CHATENAY. – C'est de la barbarie !

MANICAMP, *éclatant.* – Voulez-vous me laisser tranquille ?

CHATENAY. – Vous n'avez pas le droit de faire notre malheur !

MANICAMP. – Monsieur !

BERTHE. – Et si nous voulons nous marier...

765 MANICAMP. – Ma fille !

CHATENAY. – Nous nous marierons !

MANICAMP. – Monsieur !

BERTHE. – Et tout de suite !

MANICAMP. – Ma fille !

770 CHATENAY. – À l'instant !

MANICAMP. – Monsieur ! ah çà ! vous tairez-vous ?

---

1. *Le remercier* : lui dire non, lui refuser ta main.

CHATENAY et BERTHE. – Non ! non ! non !

MANICAMP. – Me braver !… me menacer !… oh ! si je ne me
retenais ! *(Il prend le vase de fleurs sur la console à droite et le*
775   *jette à terre.)* Tiens !

CHATENAY. – Ah ! c'est comme ça !… Vous croyez nous faire
peur ! *(Il prend un vase sur la cheminée au fond et le brise.)*
Tiens !

BERTHE, *courant prendre le second vase sur la cheminée.* – Vous
780   croyez nous faire la loi ! *(Elle le jette par terre en piétinant*
avec rage.) Tiens ! tiens !

TOUS. – Ah !

CHŒUR

AIR de *Blaise et Babet*[1].

Ah ! c'est affreux, ah ! quel outrage !
Mon cœur bondit de colère et de rage.
785   Quel outrage *(bis)* !
Je n'en puis subir *(bis)* davantage.

Pendant le chœur, Manicamp pousse dans un cabinet sa fille,
qui résiste, et il l'enferme à double tour.
Chatenay sort par le fond à droite.

Scène 11

MANICAMP, *seul.*

790 Ah ! j'étouffe… je suffoque… *(À la porte du fond.)* Insolent !…
(À la porte du cabinet.) Petite pécore[2] !… Et mes porcelai-

---

1. *Blaise et Babet, ou la Suite des trois fermiers* : comédie mêlée
d'ariettes (airs de chansons) publiée par Monvel en 1785.
2. *Petite pécore !* : petite sotte !

nes?... du vieux Sèvres[1]!... Oh! oh! s'il est possible...
(Appelant.) Dominique!... après ça, c'est moi qui ai donné
l'exemple... *(Appelant.)* Dominique!... *(Ramassant un des*
795 *débris.)* C'est étonnant comme la porcelaine dure peu
dans cette maison... On devrait la couler en bronze...
comme les canons... *(Appelant.)* Dominique!...

> *Il sort par le fond à gauche.*

Scène 12

CHATENAY ; *puis* BERTHE ; *puis* FOLLEVILLE

CHATENAY, *entrant vivement par le fond à droite.* – Eh bien, non...
800 je ne m'en irai pas!... Tes laquais[2], je les rosserai[3]... et ta
fille... je l'épouserai, ta fille! à ton nez, à ta barbe[4]. *(Bruit
de vaisselle cassée dans le cabinet à gauche.)* Hein!... c'est
elle... je la reconnais!...

BERTHE, *trépignant dans le cabinet.* – Non! non! non! je
805 n'aurai pas d'autre mari!... je le dirai, je le crierai... et
je l'aurai!...

CHATENAY. – Pauvre petite! *(Lui ouvrant.)* Venez, mademoiselle, venez...

BERTHE, *entrant vivement.* – Ah! je suis d'une colère!...
810 M'enfermer! me mettre en cage!... comme une pension-
naire! *(Tout à coup à Chatenay.)* Ça ne vous fait donc rien,
ça, monsieur?...

---

1. *Du vieux Sèvres* : de la porcelaine fabriquée au XVIIIe siècle à la prestigieuse manufacture de Sèvres, près de Paris.
2. *Laquais* : domestiques.
3. *Je les rosserai* : je leur donnerai des coups.
4. *À ta barbe* : sans que tu le voies.

CHATENAY. – Moi ?...

BERTHE. – Dame !... vous êtes là... tranquille...

815 CHATENAY, *se montant.* – C'est vrai... je suis là tranquille... je
ne dois pas être tranquille... je dois être furieux !... Ah !
nous allons voir !

BERTHE. – À la bonne heure[1] !...

CHATENAY. – Mademoiselle, je suis furieux... et si je ne me
820 retenais, je... je... *(Cherchant une porcelaine pour la briser.)*
Tiens... il n'y en a plus !...

BERTHE, *indiquant le cabinet.* – Par là, c'est la même chose...

CHATENAY. – Oui, j'ai entendu les éclats... de votre douleur.

BERTHE. – Oh ! d'abord... plutôt que d'épouser Folleville,
825 j'entrerais dans un couvent...

CHATENAY. – Moi aussi.

BERTHE. – Dans un couvent d'Ursulines[2] !...

CHATENAY. – Moi aussi !... c'est-à-dire...

BERTHE. – Et s'il faut résister...

830 CHATENAY. – Nous résisterons...

BERTHE. – Jusqu'à la mort !...

CHATENAY. – Ce n'est pas assez...

BERTHE, *changeant de ton.* – Ah ! mon Dieu ! et si papa
m'enferme encore !...

835 CHATENAY. – Ah ! diable[3] !

MANICAMP, *dans la coulisse.* – Dominique ! Dominique !

BERTHE. – Ciel ! le voici... Que faire ?... d'abord je ne veux
plus rentrer dans ma prison !... *(Tout à coup.)* Ah !

CHATENAY. – Quoi ?

---

1. *À la bonne heure* : enfin, vous réagissez !
2. *Un couvent d'Ursulines* : un couvent de religieuses, consacré à
l'éducation des jeunes filles.
3. *Diable !* : interjection qui marque la surprise, l'impuissance.

840 BERTHE, *prenant sous son bras la queue*[1] *de sa robe.* – Monsieur…
enlevez-moi !…

CHATENAY. – Hein ?…

BERTHE. – Je vous en supplie… enlevez-moi !…

CHATENAY. – Au fait !… c'est un moyen… votre père sera
845 bien forcé, après… *(Remontant la scène.)* Je reviens…

BERTHE. – Eh bien !… où allez-vous donc ?

CHATENAY. – Tout préparer… L'escorte[2], le carrosse…

BERTHE. – Un carrosse… c'est trop long… Enlevez-moi à
pied !

850 FOLLEVILLE, *paraissant à la porte de droite, et à part.* – Qu'en-
tends-je ?… Un enlèvement !…

Il disparaît.

BERTHE. – Ah çà ! où irons-nous ?

CHATENAY. – Ah ! oui !… où irons-nous ?…

855 BERTHE, *frappée d'une idée.* – Ah !… chez ma marraine, la
princesse de Conti… à deux pas d'ici… nous lui conte-
rons nos peines… nous l'attendrirons, et, dans huit jours,
nous serons mariés… *(Avec impatience.)* Mais enlevez-moi
donc, monsieur !

860 CHATENAY. – Voilà ! *(Avec la plus grande politesse.)* Mademoiselle, voulez-vous me faire l'honneur d'accepter mon
bras ?

BERTHE, *faisant une révérence.* – Avec plaisir, monsieur. :

---

1. *Queue* : traîne.
2. *L'escorte* : la troupe armée qui nous suivra pour veiller à notre
sécurité.

AIR du quadrille de *Jeanne d'Arc (pastourelle*[1]).

Ensemble

CHATENAY ET BERTHE

865   Prudemment,

Doucement

Et bien vite

Que la fuite

À nos cœurs

870   Pleins d'ardeurs

Donne tous les bonheurs.

FOLLEVILLE, *reparaissant sur la reprise*[2], *et à part.*

Ah ! vraiment,

C'est charmant,

Voir sa belle

875   Infidèle

Galamment

S'échappant

Avec un amant.

Chatenay et Berthe sortent bras dessus,
880   *bras dessous par le fond à droite.*

Scène 13

FOLLEVILLE ; *puis* MANICAMP ;
puis UN DOMESTIQUE

FOLLEVILLE. – Eh bien ! ne vous gênez pas ! *(Imitant Chatenay.)* «Mademoiselle, voulez-vous me faire l'honneur d'accepter mon bras ?» *(Faisant une révérence comme Berthe.)*

---

1. *Pastourelle* : voir note 5, p. 71.
2. *Sur la reprise* : au moment où l'air est chanté pour la deuxième fois.

– «Avec plaisir, monsieur!» Ils ont l'air d'aller danser un
menuet... Eh bien, ça m'arrange, moi qui allais rompre
avec ma cousine Aloïse... voici la lettre... et pour qui?...
pour une prétendue de trois pieds neuf pouces[1] qui court
les champs! Ah! mais minute! je ne romps plus... *(Déchi-rant sa lettre.)* Je déchire...

890 MANICAMP, *entrant par le fond à gauche.* – Dominique!...
(Apercevant Folleville.) Comment, Folleville, vous êtes
encore là?...

FOLLEVILLE, *gaiement.* – Mais oui!...

MANICAMP. – Quand je vous ai prié de courir chez le notaire,
895 et de le ramener incontinent[2]!...

FOLLEVILLE, *de même.* – Pour quoi faire?

MANICAMP. – Pour quoi faire?... pour le contrat... *(À part.)*
Dieu! que j'aurai un gendre stupide!

FOLLEVILLE, *de même.* – C'est inutile... le contrat ne se signera
900 pas...

MANICAMP. – Comment?...

FOLLEVILLE, *riant.* – Il y a un obstacle... Devinez...

MANICAMP. – Ah! mon Dieu... le notaire est mort?...

FOLLEVILLE, *riant de plus en plus.* – Non... pas ça... c'est encore
905 plus drôle... Votre fille...

MANICAMP. – Eh bien?

FOLLEVILLE, *éclatant.* – Elle est enlevée!

MANICAMP. – Hein?

> *Il court à la porte du cabinet dans lequel il a enfermé sa fille.*

910 FOLLEVILLE, *sur le devant.* – C'est à crever de rire.

MANICAMP. – Partie!... avec Chatenay sans doute... Vite...
il faut courir...

---

1. ***Trois pieds neuf pouces*** : un peu moins de 1,22 mètre.
2. ***Incontinent*** : immédiatement.

Il remonte à la porte du fond à droite et se trouve arrêté
par un domestique qui lui remet une lettre.

915 LE DOMESTIQUE. – De la part de Monseigneur le prince de
Conti.

MANICAMP. – Mon illustre protecteur !

LE DOMESTIQUE. – Monseigneur me charge de rassurer M. le
marquis... Par son ordre, mademoiselle Berthe vient
920 d'être ramenée à l'hôtel.

MANICAMP. – Ah !

FOLLEVILLE, *au domestique qui le salue.* – Que le diable
t'emporte !...

Le domestique se retire.

925 MANICAMP. – Pauvre enfant... elle est revenue !...

FOLLEVILLE. – Oui, mais elle n'en a pas moins été enlevée.

MANICAMP. – Oh ! si peu... cinq minutes...

FOLLEVILLE. – Ça suffit...

MANICAMP. – Voyons... il n'y a pas un moment à perdre...
930 courez chez le notaire.

FOLLEVILLE. – Permettez... après ce qui vient de se passer...

MANICAMP, *le poussant vers la porte.* – Oh ! Folleville ! mon
bon Folleville !

FOLLEVILLE, *résistant.* – Je ne sais pas si je dois...

935 MANICAMP, *même jeu.* – Mon carrosse est attelé... et puis,
vous comprenez... le prince de Conti, la corbeille[1], la
chasse aux canards...

FOLLEVILLE, *presque à la porte et résistant.* – Oui... mais un
enlèvement !...

940 MANICAMP, *perdant patience.* – Mais allez donc, sacrebleu !

Il le pousse dehors, Folleville disparaît.

---

1. Corbeille : voir note 3, p. 43.

Scène 14

MANICAMP. – Voyons… lisons vite la lettre du prince de
Conti… *(Lisant.)* «Mon cher Manicamp…» *(Parlé.)* Son
cher Manicamp !… il a daigné écrire ça lui-même… de
945   sa propre main !… quel prince !… *(Lisant.)* «Vous êtes un
ours… un sauvage… un Turc à Maure[1]…» *(Parlé.)* Il est gai,
ce prince… *(Lisant.)* «J'ai entrepris de vous réconcilier avec
cette mauvaise tête de Chatenay…» *(Parlé.)* Avec lui ?…
jamais ! *(Lisant.)* «Et j'exige que vous l'invitiez à dîner[2]
950   aujourd'hui même.» *(Parlé.)* Comment recevoir à ma table
un homme qui m'appelle Cassandre… et qui m'enlève ma
fille ?… oh ! que nenni[3] !… *(Lisant.)* «*Post-scriptum.* – Dans
une heure, j'enverrai mon chambellan…» *(Parlé.)* Son
chambellan ! *(Lisant.)* «Pour s'assurer qu'on a fait droit à
955   mes prières[4].» *(Parlé.)* À ses prières !… à ses ordres !… car
c'est un ordre… et pas moyen de refuser… un prince du
sang ! *(Appelant.)* Dominique !… *(Parlé.)* Mais qu'est-ce
que je vais lui faire manger, à cet animal-là[5] ? *(Appelant.)*
Dominique !… *(Parlé.)* Il me vient une idée. *(Appelant.)*
960   Dominique !… Dominique !… non… Joseph !

UN DOMESTIQUE, *entrant par le fond à gauche.* – Monsieur le
marquis ?…

---

1. *Un Turc à Maure* : quelqu'un qui traite les autres avec une extrême
dureté (l'expression a pour origine l'idée selon laquelle les Turcs maltrai-
taient les Maures, habitants d'Afrique qui leur étaient soumis).
2. *À dîner* : à déjeuner.
3. *Que nenni !* : non !
4. *Qu'on a fait droit à mes prières* : qu'on a honoré ma demande.
5. *Cet animal-là* : cette personne stupide et grossière.

MANICAMP. – Mais que fait donc Dominique ?

LE DOMESTIQUE. – Il ne fait rien, monsieur.

965 MANICAMP. – Très bien… ne le dérange pas. Il me faut un dîner de deux couverts… tu diras au chef…

Il lui parle à l'oreille.

LE DOMESTIQUE, *étonné.* – Comment ?…

MANICAMP. – Je le veux… tu nous serviras ici… va. *(Le domes-*
970 *tique sort.)* Où aller pêcher ce Chatenay maintenant… et comment le décider… il va croire que je lui fais des avances[1]… Justement, le voici…

Scène 15

MANICAMP, CHATENAY

CHATENAY, *à part sans voir Manicamp.* – Comprend-on le prince de Conti !… exiger que je me fasse inviter à dîner
975 par Manicamp !… quand, il y a un quart d'heure à peine, nous voulions nous couper la gorge… *(Apercevant Manicamp.)* Ah ! c'est lui !… *(Saluant.)* Marquis…

MANICAMP, *lui rendant son salut.* – Vicomte !… *(À part.)* Comment entamer la chose ?…

980 CHATENAY, *à part.* – Je ne peux pas lui taper sur le ventre, et lui dire : « Allons nous mettre à table… » *(Saluant Manicamp.)* Marquis !…

MANICAMP, *lui rendant son salut.* – Vicomte !… *(À part.)* Voyons… il faut se décider… *(Haut.)* Monsieur, je n'ai
985 aucun plaisir à vous voir…

---

1. *Que je lui fais des avances* : que je cherche à me raccommoder avec lui.

CHATENAY. – Ni moi... *(À part.)* Ça commence bien.

MANICAMP. – Néanmoins, si vous voulez me faire... l'amitié de dîner avec moi...

CHATENAY. – Hein ?...

990 MANICAMP. – Rien ne me sera plus... désagréable...

CHATENAY, *à part.* – Je comprends... il m'invite... par ordre[1]... *(Haut.)* Mais comment donc, marquis... je ne tiens pas du tout à vous être agréable...

MANICAMP. – Ainsi vous acceptez ?

995 CHATENAY. – Avec répugnance...

MANICAMP. – C'est bien comme cela que je vous invite.

CHATENAY, *s'inclinant.* – Trop bon...

> *Deux domestiques apportent par le fond, à gauche, une table richement servie, les plats sont couverts.*

CHATENAY ET MANICAMP

1000 *ensemble*

AIR d'*Haydée.*

La table s'avance,
Ah ! quel doux moment !
Nous ferons, je pense,
Un dîner charmant.

1005 MANICAMP. – Prenons place...

> *Il s'assied vivement le premier.*

CHATENAY, *souriant.* – Prenons place...

MANICAMP. – Monsieur... mon projet n'est pas de vous donner des ortolans[2]...

1010 CHATENAY. – Tant mieux... je ne les aime pas...

MANICAMP. – Ah ! si je l'avais su !... *(Découvrant successivement*

---

1. *Par ordre* : parce qu'on lui en a donné l'ordre.

2. *Ortolans* : petits oiseaux à la chair très fine, c'est-à-dire de la nourriture coûteuse et raffinée.

les plats.) Bœuf aux lentilles[1]... mouton aux lentilles... veau aux lentilles.

CHATENAY. – J'adore les lentilles !

1015 MANICAMP, *vivement.* – Je vous préviens que, cette année, elles sont d'une très mauvaise qualité.

CHATENAY. – Vous êtes trop aimable...

MANICAMP. – Mon projet n'est pas d'être aimable...

CHATENAY. – Vous n'aimez pas à changer vos habitudes...

1020 MANICAMP, *lui offrant avec une grande politesse une assiette garnie.*
– Vous êtes un impertinent...

CHATENAY, *lui passant son assiette vide, avec la même politesse.* –
Et vous un butor[2]...

MANICAMP, *doucement.* – Croquant[3] !

1025 CHATENAY, *de même.* – Ganache[4] !...

MANICAMP, *piqué.* – Vicomte !

CHATENAY, *de même.* – Marquis !...

MANICAMP, *prenant une bouteille et avec douceur.* – Aimez-vous le jurançon[5] ?

1030 CHATENAY. – Beaucoup.

MANICAMP. – En voici d'excellent... (*Mettant la bouteille de côté.*) Mais il n'est pas collé[6]... (*Prenant une autre bouteille.*)

---

1. Les lentilles sont considérées comme le plat du pauvre. Manicamp a voulu faire injure à Chatenay en faisant servir des plats uniquement accompagnés de lentilles (on peut supposer que c'est ce que Manicamp a demandé à son domestique à la scène 14 car ce dernier a réagi avec étonnement).

2. *Un butor* : au sens propre, un gros oiseau qui vit dans les marécages ; le mot est ici employé au sens figuré et désigne une personne stupide.

3. *Croquant* : homme misérable.

4. *Ganache* : personne stupide, vieillard décrépit et radoteur.

5. *Le jurançon* : un vin produit dans le sud-ouest de la France.

6. *Il n'est pas collé* : le vin n'a pas été débarrassé des particules qui restent en suspension et ne peut donc pas être servi.

Ceci est du nanterre[1], près Paris… je le donne à mes cochers…

1035 CHATENAY. – Servez-vous donc…

MANICAMP, *se versant de l'eau.* – Non, je ne bois de vin que lorsque je suis de bonne humeur…

CHATENAY. – Diable !… une bouteille doit vous durer longtemps…

1040 MANICAMP, *à part, avec colère.* – Oh ! il me prend des envies de lui jeter la table à la figure.

CHATENAY *regarde Manicamp et se met à rire.* – Ha ha ha !

MANICAMP. – Est-ce de moi que vous riez, monsieur ?…

CHATENAY. – C'est une idée qui me passe en regardant votre
1045 air renfrogné[2]… je pense à votre fille…

MANICAMP. – Je vous le défends…

CHATENAY. – Elle est si jolie !… si gracieuse… et vous si… Ha ha ha ! Voyez-vous, Manicamp… il est impossible que vous soyez le père de cette enfant-là…

1050 MANICAMP. – Monsieur, vous êtes un paltoquet[3] !…

CHATENAY. – C'est égal… ça ne change pas mon opinion.

MANICAMP, *se levant furieux.* – Apprenez que la marquise de Manicamp était une femme de goût !

CHATENAY. – Raison de plus…

1055 MANICAMP, *hors de lui.* – Taisez-vous !… taisez-vous !

Il donne un coup de poing sur la table.

CHATENAY, *se renversant sur sa chaise en riant.* – Ha ha ha ! si vous pouviez vous voir !…

MANICAMP, *se levant.* – Monsieur !…

---

1. *Du nanterre* : du vin produit à Nanterre.
2. *Votre air renfrogné* : votre visage contracté par le mécontentement.
3. *Paltoquet* : homme grossier, sans valeur.

1060   CHATENAY. – Vous êtes affreusement laid !...

MANICAMP, *exaspéré*. – Ah !... je n'y résiste plus !... tiens !

> *Il veut lui jeter son verre d'eau à la figure, et le chambellan*
> *du prince de Conti, qui est entré, reçoit tout*
> *en plein visage.*

Scène 16

LES MÊMES,
LE CHAMBELLAN DU PRINCE DE CONTI

1065   LE CHAMBELLAN, *recevant le verre d'eau*. – Ah ! sacrebleu !...

MANICAMP, *à part*. – Le chambellan du prince !... je suis déshonoré...

LE CHAMBELLAN, *à Manicamp*. – Ah ! marquis... une pareille injure envers un gentilhomme qui porte une épée[1] !...

1070   MANICAMP. – Mais ce n'était pas pour vous... c'était pour Monsieur...

LE CHAMBELLAN. – Qu'importe ?

CHATENAY, *à part*. – Pauvre Manicamp !... *(Haut, avec enjoue-ment[2].)* Quoi donc ?... qu'y a-t-il ? je ne comprends

1075   pas !...

LE CHAMBELLAN. – Ce verre d'eau...

CHATENAY, *l'aidant à s'essuyer*. – Un service d'ami... je m'en allais... je m'évanouissais... et le marquis a eu la bonté... Merci, Manicamp.

1080   MANICAMP, *à part*. – Que dit-il ?

LE CHAMBELLAN. – Cependant... permettez...

---

1. *Gentilhomme qui porte une épée* : noble au service du roi.
2. *Avec enjouement* : avec bonne humeur.

CHATENAY, *sévèrement.* – Ah! monsieur le chambellan...
celui qui douterait de mes paroles me ferait une offense
personnelle...

1085 LE CHAMBELLAN. – C'est différent, monsieur le vicomte... je
me suis trompé... Je vais dire à Monseigneur que ses
intentions ont été remplies.

Il sort par le fond à droite, Chatenay l'accompagne jusqu'à la porte.

Scène 17

MANICAMP, CHATENAY

MANICAMP, *à part, avec émotion.* – Tant de générosité!... de
1090 noblesse[1]!... au moment où j'ai failli le... maculer[2]...
(S'attendrissant.) Ah! je sens une larme perler sous mes
longs cils bruns!

CHATENAY, *revenant.* – Maintenant, à nous deux, marquis!...

MANICAMP. – Mon ami!...

1095 CHATENAY. – Devant le chambellan, c'était bon... mais vous
comprenez que l'affaire ne peut en rester là.

MANICAMP. – Comment! un duel... avec vous... avec toi...
quand c'est moi qui ai tous les torts?... Ah! Chatenay,
mon bon Chatenay!... Embrassons-nous, Chatenay!

1100 CHATENAY, *sans se prêter*[3]. – Pardon... mais...

MANICAMP. – Tu dînes avec moi... et pour de bon...
nous boirons du jurançon... qui est collé depuis fort
longtemps!... tu verras comme je suis gai... ah! Chatenay!
mon bon Chatenay!... Embrassons-nous, Chatenay!

---

1. *De noblesse* : de qualités morales, de grandeur d'âme.
2. *Le... maculer* : le... tacher de sang en le transperçant avec mon épée.
3. *Sans se prêter* : sans se laisser faire.

1105 CHATENAY, *se laissant faire*. – C'est une patène[1] que ce
marquis-là !

Scène 18

        Elle porte un petit carton[2] et une cage.

BERTHE, *pleurant*. – Ah ah ah ! adieu, papa !…

MANICAMP. – Ma fille… où vas-tu ?…

1110 BERTHE, *pleurant*. – Au couvent.

MANICAMP. – Par exemple ! mais tu ne sais pas…

BERTHE, *pleurant*. – Je veux aller au couvent…

MANICAMP. – Mais écoute-moi donc…

BERTHE, *pleurant plus fort et avec colère*. – Non… je veux aller
1115 au couvent… ah ! ah !

MANICAMP. – Eh bien, oui, là… tu iras au couvent… quand
tu auras épousé Chatenay…

BERTHE, *joyeuse*. – Comment ?… ah ! quel bonheur ! *(Apercevant Chatenay.)* Oh !

1120   *Elle lui fait une longue révérence cérémonieuse.*
                    Chatenay la lui rend.

MANICAMP, *les regardant*. – Petite sournoise… embrassez-vous
donc !…

CHATENAY, *embrassant Berthe*. – Avec plaisir, Manicamp…

---

1. Une patène : au sens propre, un vase sacré en forme de petite
assiette qui sert à couvrir le calice et à donner l'hostie, et que le prêtre
embrasse pendant l'offertoire. L'employant au sens figuré pour caractériser Manicamp, Chatenay souligne avec humour que son futur beau-père
souhaite sans cesse qu'on l'embrasse.

2. Petit carton : petit paquet.

Scène 19

1125 FOLLEVILLE, *entrant vivement.* – Voici le notaire.

MANICAMP, *à part.* – Folleville!... sapristi[1]... je l'avais oublié!... *(Haut à Folleville.)* Mon ami, j'ai une petite communication à vous faire[2]...

FOLLEVILLE. – Une communication?... qu'est-ce que c'est?

1130 MANICAMP. – Voilà... vous saurez que... Non... *(À sa fille.)* Berthe, donne le bras à ton futur...

> *Folleville se présente pour offrir son bras.*

CHATENAY, *qui l'a devancé.* – Pardon!...

FOLLEVILLE, *à Manicamp.* – Qu'est-ce que cela veut dire?

1135 MANICAMP, *passant à droite.* – Vous savez si je vous aime, Folleville!... mon bon Folleville!... Parce que la chasse aux canards, voyez-vous... c'est magnifique! mais d'un autre côté ce verre d'eau qui... enfin c'est magnifique aussi... alors, vous comprenez... les événements... les circonstan-
1140 ces... produisent un amalgame[3]... dont la contexture[4]... forme un tissu... et plus tard... Eh! mon Dieu! la vie n'est pas autre chose!... On se lève le matin, en se disant : Très bien! c'est convenu! et le soir, prout[5]!... *(Avec émotion.)* Ah! Folleville! mon bon Folleville!... Embrassons-nous,
1145 Folleville!... *(Aux autres.)* C'est arrangé... c'est parfaitement arrangé!

---

1. Sapristi : juron qui vient de «sacristie» (annexe de l'église où est déposée la patène et tout ce qui est nécessaire pour la messe).
2. J'ai une petite communication à vous faire : j'ai quelque chose à vous dire.
3. Amalgame : mélange.
4. Contexture : texture.
5. Prout! : interjection qui exprime l'indifférence.

AIR de *La Treille de sincérité*.

Qu'on enterre
Tout' colère ;
Plus de débats, plus de courroux !
1150   Embrassons-nous *(bis)* !

MANICAMP, *au public.*

SUITE DE L'AIR.

Messieurs, quand je vois l'indulgence
Se peindre ici sur vos profils,
Ah ! je sens une larme immense
Qui vient perler sous mes longs cils ;
1155   Elle perle sous mes longs cils.
Prêtez-vous, je vous en supplie,
À mes tendres épanchements[1] ;
Quand la pièce sera finie,
Au contrôle[2] je vous attends ;
1160   Là, sans faute,
    Au cou je vous saute,
Et je dis à chacun de vous :
    Embrassons-nous *(bis)* !

CHŒUR

Qu'on enterre
1165   Tout' colère,
Etc.

Le rideau tombe.

---

1. Mes tendres épanchements : l'expression sans frein de mes sentiments tendres.
2. Au contrôle : au bureau où se tiennent les personnes qui contrôlent les billets de théâtre.

■ Portrait du dramaturge Georges Feydeau (1862-1921). Photographie
fin XIXᵉ siècle.

Notre futur

COMÉDIE EN UN ACTE

PAR GEORGES FEYDEAU

PERSONNAGES

Henriette de Tréville
Valentine

Un grand salon très richement meublé. Au fond, une cheminée avec des candélabres[1] allumés. Portes latérales[2], portes à droite et à gauche. Une table, des fauteuils, un divan, etc. Sur la table, des journaux.

---

1. *Candélabres* : chandeliers portant de grandes bougies.
2. *Portes latérales* : portes situées de chaque côté de la scène.

Scène première

HENRIETTE, SEULE.

Henriette en costume de bal et couverte de diamants, entre par l'une des portes du fond et parle à quelqu'un qu'on n'aperçoit pas.

HENRIETTE. – Ainsi, vous avez bien compris ? Des bougies
5   partout, des lumières… beaucoup de lumières ! Enfin que tout soit pour le mieux. *(Entrant.)* Oh ! oui, beaucoup de lumières, je les adore, moi !… C'est étonnant comme cela sied à mon visage[1] ! *(Elle s'approche de la glace.)* Eh ! bien, mais savez-vous, madame, que vous êtes tout simplement
10   ravissante. Ce costume vous va à ravir !… et je me trompe fort ou bien vous allez faire encore quelque nouvelle conquête !… Toutes ces dames vont être furieuses ! C'est si jaloux, les femmes !… Quant à ces messieurs, par exemple… Eh ! bien, là, franchement, il y a des moments
15   où je comprends les hommes ! *(Regardant la pendule.)* Huit heures un quart… *(S'asseyant.)* Allons, j'ai encore une heure devant moi, une grande heure d'ennui !… C'est effrayant comme le temps vous paraît long quand on attend… Malgré moi je me sens inquiète, agitée… Ah !

---

1. *Cela sied à mon visage* : cela met en valeur mon visage.

dame[1], l'idée d'un mariage peut bien vous émouvoir un peu… surtout lorsqu'il s'agit d'un jeune homme et que l'on est la veuve d'un vieux général !… Ah ! c'est qu'en fait d'amour, mon pauvre mari n'était pas la prodigalité[2] même ! Mon Dieu ! Je ne le lui reproche pas !… le cher homme ! Je sais bien que ce n'était pas de sa faute !… mais c'est égal[3], franchement, il était un peu trop… comment dirai-je ? un peu trop… économe… Oh ! mais, avec M. de Neyriss, cela n'est pas à craindre ! Il est jeune, lui ! Il est du midi, lui ! Et quand on est du midi, Dieu sait !… Enfin cela n'est pas à craindre !… Pourvu qu'il vienne seulement, c'est qu'il y a déjà quelque temps qu'il n'a donné signe de vie… Bah ! je l'ai invité, il viendra ; d'ailleurs il m'aime !… il a l'intention de m'épouser, j'en suis sûre… il profitera de cette soirée pour… et déjà l'autre jour, dans le petit salon, lorsque j'étais assise sur mon joli divan havane[4], s'il s'est mis à mes genoux, c'était, bien sûr, pour me faire sa demande[5]… Ce n'était pas l'envie qui lui en manquait, et si l'on ne nous avait interrompu !… *(On sonne.)* Tiens ! l'on a sonné ! *(Regardant l'heure.)* Neuf heures moins vingt. Qui peut venir si tôt ?

---

1. *Dame* : adverbe exclamatif qui marque l'affirmation.
2. *Prodigalité* : générosité.
3. *C'est égal* : malgré tout, quoi qu'il en soit.
4. *Havane* : de couleur marron clair, comme les cigares.
5. *Sa demande* : sa demande en mariage.

Scène 2

HENRIETTE, *puis* VALENTINE

On entend la voix de Valentine dans les coulisses.

LA VOIX DE VALENTINE. – *Thank you very much, miss Alice! you may go now[1]! Thank you!*

HENRIETTE. – Valentine!

45 VALENTINE, *entrant*. – Moi-même, cousine! Bonjour!

HENRIETTE, *l'embrassant*. – Comme tu arrives de bonne heure!

VALENTINE. – Est-ce un reproche?

HENRIETTE. – Enfant, va!

50 VALENTINE. – C'est que, vois-tu, j'ai désiré venir un peu avant le bal... parce que j'avais à t'entretenir[2] de choses sérieuses!

HENRIETTE, *souriant*. – Ah! mon Dieu!

VALENTINE, *s'asseyant*. – Oh! Très sérieuses! Tu comprends,
55 il est des choses que je n'oserais dire à maman, et que je puis te dire à toi.

HENRIETTE. – Voyez-vous ça, Mademoiselle!

VALENTINE. – Oui, je viens te demander conseil!... Mais d'abord, laisse-moi te faire tous mes compliments. Dieu!
60 que tu es belle, ce soir!

HENRIETTE. – Ah! Le «ce soir» est aimable.

VALENTINE. – Oh! Tu es toujours restée taquine, toi... Je veux dire : Quelle jolie toilette tu as[3] ce soir... là!...

HENRIETTE. – Tu trouves?

---

1. *You may go now* : vous pouvez y aller maintenant, en anglais.

2. *T'entretenir* : te parler.

3. *Quelle jolie toilette tu as* : comme tu es bien habillée.

VALENTINE. – Mais c'est-à-dire que j'ai l'air d'une petite Cendrillon à côté de toi, avec ma robe blanche, toute simple.

HENRIETTE. – Toi ! tu es cent fois charmante, comme cela !

VALENTINE, *soupirant*. – Et des diamants ! En as-tu assez ! oh ! c'est moi qui aimerais ça, des diamants !

HENRIETTE. – Tu sais bien qu'une jeune fille n'en porte pas[1].

VALENTINE, *naïvement*. – Oui, tandis qu'une veuve !... Dieu ! que cela doit être agréable d'être veuve !

HENRIETTE. – Eh ! bien, c'est gentil pour ton futur mari ce que tu dis là !

VALENTINE. – Tiens ! c'est vrai ! J'ai dit une bêtise ! C'est ennuyeux ! Je ne fais que cela... ou bien je ne dis rien du tout, et alors je deviens bête... de peur de dire des bêtises !

HENRIETTE. – Gamine, va !

Elle se lève et va prendre une tapisserie[2].

VALENTINE. – Mais aussi, je te l'ai dit, je compte sur toi pour me donner quelques conseils... ah ! d'abord, quand un jeune homme vous parle, qu'est-ce qu'il faut faire ?... Moi, je suis toujours très embarrassée !... Ainsi, tiens, à ton dernier bal, monsieur de Mercourt est venu à moi et m'a dit comme ça : «Ah ! Mademoiselle, vous êtes vraiment charmante !» Eh bien ! sais-tu ce que je lui ai répondu ?

HENRIETTE, *s'asseyant et faisant de la tapisserie*. – Non.

---

1. Seule une femme mariée ou une veuve était autorisée à porter des diamants.

2. *Une tapisserie* : un ouvrage de dame à l'aiguille, dans lequel on recouvre entièrement un canevas avec des fils de laine, de coton ou de soie, suivant le tracé d'un dessin.

VALENTINE. – «Et vous aussi, monsieur!» Tu vois l'effet d'ici!... alors il a cru que je me moquais de lui et il est parti.

95 HENRIETTE. – Pauvre enfant, voilà ce que c'est que l'innocence[1].

VALENTINE, *naïvement.* – Oh! oui, l'innocence, voilà une vertu que j'admire beaucoup... chez les autres!... Que je voudrais en savoir autant que toi! mon Dieu!

100 HENRIETTE, *d'un air de reproche.* – Valentine!

VALENTINE. – Encore une bêtise... Tu vois, c'est plus fort que moi!... aussi il faut absolument que tu me dises...

HENRIETTE. – Ah! pardon, mais d'abord, de quoi s'agit-il?

VALENTINE, *rougissante.* – C'est que c'est très difficile à expli-
105 quer!... Il s'agit de... d'un...

HENRIETTE. – Tu rougis! tu baisses les yeux! Je comprends, c'est un jeune homme!

VALENTINE. – Hein! Comment le sais-tu?

HENRIETTE. – Est-ce que je n'ai pas été jeune fille, moi?
110 Est-ce que je n'ai pas rougi, moi... dans le temps? Va, chère petite, je ne m'y trompe pas!

VALENTINE. – Eh! bien, oui, là, c'est un jeune homme.

HENRIETTE. – Je le savais bien!... et il se nomme?

VALENTINE, *d'un air mystérieux.* – Oh! ça, je te le dirai plus
115 tard.

HENRIETTE. – Du mystère, c'est parfait! Est-il bien au moins?

VALENTINE. – Lui? Oh! très bien!

HENRIETTE. – Très bien! Tu me le montreras?

120 VALENTINE. – Tu le verras ce soir!... Et tu me diras alors si j'ai bon goût!

---

1. *L'innocence* : la naïveté, la candeur.

HENRIETTE. – Tiens, vraiment, tu m'amuses!... et... il t'aime?

VALENTINE. – Oh! oui, il m'aime!... il m'a même dit l'autre
125   jour qu'il serait bien heureux si je consentais à[1] l'épouser.

HENRIETTE. – Bah! ce n'est pas une preuve.

VALENTINE. – Oh! mais pour lui, c'est sérieux! Figure-toi qu'à ton dernier bal, j'ai dansé avec lui... et sans en avoir l'air, tout en valsant, il m'a emmenée dans le petit salon,
130   tu sais, le petit salon?

HENRIETTE. – Oui, oui. *(À part.)* Il paraît que c'est l'endroit!

VALENTINE. – Il n'y avait justement personne... Alors il m'a fait asseoir sur ton divan havane...

HENRIETTE. – Sur mon divan havane?

135   VALENTINE. – Oui! cela t'étonne?

HENRIETTE. – Moi! non, du tout. *(À part.)* Oh! ces hommes, tous les mêmes!... *(Haut.)* Apporte-moi mes laines[2]!

VALENTINE, *apportant la corbeille à ouvrage[3].* – Et puis, lorsque j'ai été assise, monsieur de...

140   HENRIETTE, *vivement.* – Monsieur de...?

VALENTINE, *souriant.* – Ce monsieur-là enfin m'a pris les deux mains, et s'est mis à genoux devant moi... Comme cela, tiens! *(Elle se met à genoux devant sa cousine et la prend par la taille.)* Oh! c'est étonnant comme c'est agréable de voir
145   un homme à ses genoux!

HENRIETTE. – Cela n'est pas précisément l'opinion de messieurs nos maris... Enfin! continue.

VALENTINE. – Eh! bien donc, il s'est mis à genoux devant moi et, avec une voix tendre, il m'a dit des choses, oh!

---

1. *Si je consentais à* : si j'acceptais de.
2. *Mes laines* : mes pelotes de laine.
3. *La corbeille à ouvrage* : le panier qui contient le matériel nécessaire pour broder une tapisserie.

150 mais des choses! Je ne comprenais pas toujours, mais je
sentais que cela me faisait plaisir! Oh! mais c'est égal!
Je t'assure que j'étais très embarrassée; aussi, de peur de
dire des bêtises, je me contentais de répondre «oui» à
tout ce qu'il disait.

155 HENRIETTE, *posant sa tapisserie*. – Tu disais oui? Malheureuse
enfant!

VALENTINE, *se relevant*. – Est-ce que j'ai eu tort?

HENRIETTE. – Avec les hommes, c'est si dangereux.

VALENTINE. – Mais je ne savais que répondre, moi! Si tu
160 l'avais entendu : «Ah! mademoiselle, vous êtes belle et
je vous aime – Oui? – Ah! Valentine – il m'a appelée
Valentine – Ah! Valentine, réalisez le rêve de ma vie!
Mon cœur est consumé par l'ardeur de ses flammes et
seule vous pouvez éteindre l'incendie que... que vos
165 beaux yeux ont allumé» – ça je n'ai pas très bien compris
ce que cela voulait dire! – «Enfin vous êtes ma reine,
mon ange, Valentine, voulez-vous être ma femme?»

HENRIETTE, *se levant et vivement*. – Et tu as répondu?

VALENTINE. – Oui!... Dame, j'étais si troublée, je ne savais
170 que dire.

HENRIETTE. – Les hommes sont si entreprenants!

VALENTINE, *avec conviction*. – Oh! oui!

HENRIETTE, *étonnée*. – «Oh! oui!» Ah çà! comment le
sais-tu?

175 VALENTINE, *embarrassée*. – Mais cousine!

HENRIETTE, *insistant*. – Oh! il n'y a pas de «mais cousine!».
Et je vois bien que tu me caches quelque chose! Mais je
ne te tiens pas quitte comme cela entends-tu bien, et tu
vas m'expliquer...

180 VALENTINE, *s'appuyant sur son épaule.* – Eh! bien oui là, j'aime mieux tout te dire!… À maman je n'aurais jamais osé, avec toi je sens que j'aurai plus de courage. *(Baissant les yeux.)* Ah! ma chère Henriette si tu savais ce qu'il a fait!

HENRIETTE, *inquiète.* – Ah! Mon Dieu! C'est donc bien
185 grave?

VALENTINE, *toute émue.* – Oh! oui, c'est grave; c'est-à-dire que, maintenant, il faut qu'on nous marie.

HENRIETTE, *l'embrassant avec tendresse.* – Est-il possible? Oh! pauvre enfant! pauvre enfant[1]!

190 VALENTINE, *avec douleur.* – Il m'a embrassée!

HENRIETTE, *changeant de ton.* – Ah! Tu m'avais fait peur.

Elle s'assied.

VALENTINE, *s'asseyant aussi.* – Tu ne trouves donc pas cela grave, toi?

195 HENRIETTE. – Mon Dieu! si j'étais ton confesseur, je te dirais: «C'est très grave!» Mais moi, ma pauvre enfant, je n'ai pas le courage de t'en blâmer[2]. *(Avec un soupir.)* Je connais trop bien les hommes!

VALENTINE. – Est-il possible!

200 HENRIETTE. – Et si l'on devait se marier pour si peu de choses je crois qu'il y aurait bien peu de femmes sur la terre qui coifferaient Sainte-Catherine[3].

---

1. Henriette croit que Valentine a eu une relation sexuelle avec le jeune homme. Cela obligerait Valentine à l'épouser car, selon les règles de l'époque, une femme doit être vierge à son mariage et ne doit connaître qu'un seul homme.

2. *De t'en blâmer* : de te le reprocher.

3. *Qui coifferaient Sainte-Catherine* : qui seraient encore célibataires à l'âge de vingt-cinq ans. Ces femmes pouvaient alors adresser une prière à sainte Catherine pour qu'elle les aidât à trouver un bon mari.

Elle reprend sa tapisserie.

VALENTINE. – Alors,… tu ne m'en veux pas ?

205 HENRIETTE. – Moi, chère petite… oh ! pas du tout !… Mon pauvre général me le disait souvent : «L'amour est la meilleure des excuses !»… Et j'étais bien de son avis !

VALENTINE. – Mais alors… si ce soir il veut m'emmener… est-ce qu'il faudra…

210 HENRIETTE, *vivement.* – Garde-t'en bien[1] !… Les hommes sont toujours plus entreprenants la seconde fois que la première !

VALENTINE. – Mais alors comment faire ? S'il me demande de danser avec lui, je ne puis pourtant pas lui refuser…

215 puisqu'il m'a promis de m'épouser ?

HENRIETTE. – Oh ! Je vois ce que tu veux !… Voyons, fillette, alors tu l'aimes ?

VALENTINE, *baissant les yeux.* – Mon Dieu ! je ne sais pas !

HENRIETTE. – Bon ! Je comprends ! ça veut dire beaucoup !…

220 Et lui est-ce qu'il t'aime ?

VALENTINE. – Il m'adore.

HENRIETTE. – Eh bien, donc, c'est parfait !… Puisqu'il en est ainsi je parlerai à ta mère et, si elle y consent, tu l'épouseras !

225 VALENTINE. – Je l'épouserai ! *(Embrassant Henriette tendrement.)* Oh ! ma chère Henriette !

HENRIETTE, *d'un air moqueur.* – Hein ! Comme il y a des moments où l'on vous aime !… ah çà ! tu serais donc bien heureuse de te marier, toi ?

---

1. Garde-t'en bien : surtout abstiens-toi de le faire.

230 VALENTINE, *avec exaltation*[1]. – Me marier, cousine ! mais c'est
ce que[2] je rêve ! Se faire appeler Madame ! porter des
diamants !... aller au Palais-Royal[3] !...

HENRIETTE. – Eh bien ! tu as une manière de comprendre tes
devoirs conjugaux[4], toi ! Je t'en fais mes compliments !

235 VALENTINE. – Mais cousine...

HENRIETTE. – Enfin, vous vous aimez, c'est l'essentiel ! Et
puisqu'il t'a promis de t'épouser, je parlerai à ta mère...
Mais au moins serait-il bon pour cela que je connusse[5] le
nom de ton... prétendu[6] ?

240 VALENTINE. – C'est juste... D'ailleurs je n'ai plus de raisons
pour te le cacher !.... C'est M. de Neyriss.

HENRIETTE, *stupéfaite*. – M. de Neyriss !

> *Elle pose vivement sa tapisserie.*

VALENTINE. – Oui ! qu'y a-t-il là qui t'étonne ?

245 HENRIETTE. – Non ! c'est impossible !

VALENTINE. – Comment impossible ! mais je t'assure que
c'est la pure vérité.

HENRIETTE. – Oh ! Je te dis qu'il ne t'aime pas... j'en suis
sûre.

250 VALENTINE. – Mais puisqu'il me l'a dit !

HENRIETTE, *se levant*. – Bah ! Tu crois à ces choses-là, toi.

VALENTINE, *se levant aussi*. – Et pourquoi ne m'aimerait-il pas,
après tout ?

HENRIETTE. – Parce que... parce qu'il ne t'aime pas.

---

1. *Avec exaltation* : avec enthousiasme.
2. *Ce que* : ce dont.
3. *Au Palais-Royal* : au théâtre du Palais-Royal. Seules les femmes mariées
ou veuves ont le droit de porter des diamants et d'aller au théâtre.
4. *Tes devoirs conjugaux* : tes devoirs liés au mariage.
5. *Que je connusse* : que je connaisse, que je sache.
6. *Ton... prétendu* : la personne que tu dois épouser.

255 VALENTINE. – Mais puisqu'il doit m'épouser, là !

HENRIETTE. – Eh bien ! et moi aussi, là !

VALENTINE, *stupéfaite*. – Il doit t'épouser ?

HENRIETTE. – Oui.

VALENTINE. – Il a demandé ta main ?

260 HENRIETTE. – Oh ! c'est tout comme. Il va me la demander ce soir !

VALENTINE. – Oh ! mais, moi, c'est déjà fait, voilà la différence.

HENRIETTE. – Bah ! qu'est-ce que cela prouve ? Pour ces
265 messieurs le mariage n'est-il pas le pseudonyme[1] de l'amour ?

VALENTINE. – Mais…

HENRIETTE. – Et puis, d'abord, il ne te convient pas du tout ! Tu es bien trop jeune pour lui.

270 VALENTINE. – Comment ! Mais c'est un jeune homme…

HENRIETTE. – Lui ! un jeune homme ! il a trente ans, c'est tout au plus un homme jeune ! voilà tout ! Va, je te dis qu'il ne te convient pas du tout !

VALENTINE, *impatientée*. – Enfin, que veux-tu ? Cela me regarde
275 et comme tu m'as promis de demander à maman…

HENRIETTE. – Moi ! demander à ta mère, ah ! non, par exemple !… Je ne veux pas que tu puisses me reprocher un jour d'avoir fait ton malheur.

VALENTINE. – Mon malheur !

280 HENRIETTE. – Mais, dame ! tu vois bien qu'il ne t'aime pas sérieusement.

VALENTINE. – Comment cela ?

HENRIETTE. – Puisqu'il me fait aussi la cour, à moi !

VALENTINE. – Mais…

---

1. *Pseudonyme* : faux nom.

285 HENRIETTE, *s'échauffant petit à petit.* – Et qui te dit qu'il n'agit pas de même avec toutes les femmes !

VALENTINE, *agacée.* – Oh !

HENRIETTE. – Et cet homme-là serait un mari fidèle ?... Allons donc !

290 VALENTINE. – Eh ! bien, pourquoi veux-tu l'épouser, alors ?

HENRIETTE, *embarrassée.* – Pourquoi je veux l'épouser...

VALENTINE. – Dame ! il en sera pour toi comme pour moi ! Et je suppose que ce n'est pas pour l'unique agrément[1] d'avoir un mari volage[2] que...

295 HENRIETTE, *sèchement.* – D'abord, il n'est pas question de moi en ce moment... Et puis, je te dirai que ce n'est pas du tout la même chose... Une veuve a sur cette matière plus d'expérience qu'une petite fille.

VALENTINE. – Mais...

300 HENRIETTE. – Et d'ailleurs, toi non plus tu ne l'aimes pas !... Mais non ! Si tu veux l'épouser, c'est par caprice... pour aller au Palais-Royal.

VALENTINE. – Mais quand je te dis...

HENRIETTE. – Ah ! bah ! tout cela ce sont des amours de
305 petite fille ! Un feu de paille ! Cela brûle, mais ne dure pas... va, ma chère enfant, je sais très bien comme on est à cet âge. Aperçoit-on un jeune homme ? Aussitôt, l'on en devient folle ! S'avise-t-il[3] de vous faire un compliment, le moindre brin de cour[4] ? Ah ! alors, c'est évident ! on
310 croit tout de suite qu'il va vous épouser... et pour peu que

---

1. *L'unique agrément* : le seul plaisir.

2. *Volage* : infidèle.

3. *S'avise-t-il* : ose-t-il.

4. *De vous faire* [...] *le moindre brin de cour* : de vous courtiser un peu pour essayer de vous plaire.

l'on ait lu[1] des romans, l'on s'étonne toujours que le beau
jeune homme ne vous demande pas la permission de vous
enlever !… Oui, voilà comme vous êtes, à votre âge ! Des
amourettes[2], voilà tout ! Mais un amour sérieux ! Allons
315   donc ! non ! non ! non ! mille fois, non !

VALENTINE, *aigrement.* – Tu ne parlais pas précisément comme
cela tout à l'heure !

HENRIETTE. – C'est que j'ai réfléchi !

VALENTINE. – Bien rapidement, alors ! Car ce n'est que depuis
320   que j'ai prononcé le nom de M. de Neyriss, que…

HENRIETTE. – Que veux-tu dire ?

VALENTINE. – Eh ! je veux dire que je sais bien pourquoi
tu parles de la sorte[3]… et que les meilleurs avocats sont
toujours ceux qui défendent leur propre cause.

325 HENRIETTE. – Là ! Je m'y attendais ! de l'aigreur !… Parce
que je te dis des vérités sur M. de Neyriss, alors cela
te fâche ! Eh ! bien, veux-tu que je te dise : Épouse-le !
Tu pourras te vanter d'avoir un mari charmant,… trop
charmant même,… surtout avec les autres !

330 VALENTINE, *avec mauvaise humeur.* – C'est ça, moque-toi de
moi à présent : Tiens, vrai ! tu n'es pas gentille !

HENRIETTE. – Voyons, Valentine !

VALENTINE, *sèchement.* – Laisse-moi tranquille !

HENRIETTE, *s'asseyant.* – Ah !… tu veux bouder ? à ton aise !
335   Seulement, quand tu auras fini, tu auras la bonté de me
le dire.

> *Un instant de silence. Valentine tourne à demi le dos à Henriette.*
> *Cette dernière prend un journal sur la table et se met à lire.*

---

1. *Pour peu que l'on ait lu* : si l'on a lu.
2. *Amourettes* : flirts.
3. *De la sorte* : de cette manière.

340 HENRIETTE, *se levant en sursaut.* – Ah! mon Dieu, que
vois-je?… M. de Neyriss!…

VALENTINE, *vivement.* – M. de Neyriss! Qu'y a-t-il?

HENRIETTE. – Le perfide[1]! Il se marie.

VALENTINE, *se levant en sursaut.* – Il se marie?

345 HENRIETTE. – Tiens, lis plutôt! *(Lisant.)* On annonce le mariage
prochain de M. Raoul de Neyriss avec Mademoiselle de
Stainfeld! Cette toute charmante personne… *(Parlé.)*
Toute charmante, est-il possible? elle louche! *(Lisant.)*
Cette toute charmante personne apporte à son mari la
350 jolie dot[2] de deux cent mille livres de rente! Hâtons-nous
de dire que M. de Neyriss, qui est un galant homme…
(Parlé.) Un galant homme, lui! *(Lisant.)* Qui est un galant
homme n'a vu dans ce mariage qu'un mariage d'amour!
(Parlé.) Oh! le traître!

355 VALENTINE, *qui pendant cette lecture est tombée sur un fauteuil, tout
accablée[3].* – Qui aurait jamais pu s'attendre à cela, mon
Dieu!

HENRIETTE, *très agitée.* – Oh! les hommes! les hommes! Les
voilà bien!

360 VALENTINE, *avec douleur.* – Et il me disait qu'il m'aimait!

HENRIETTE, *même jeu[4].* – Non, tenez! Ils ne valent pas la
corde pour les pendre! Et c'est là l'homme que tu voulais
épouser!… et tu crois que je t'aurais laissée faire cette
bêtise?… ah non, par exemple!

365 VALENTINE. – Hélas! cousine…

---

1. *Perfide* : traître.

2. *Dot* : ensemble des biens qu'une femme apporte en se mariant.

3. *Tout accablée* : tout abattue.

4. *Même jeu* : Henriette continue à se montrer très agitée.

HENRIETTE. – Ah! oui, tu pousses des soupirs à présent, tu me dis : «Hélas! cousine.» Mais tout à l'heure, lorsque je cherchais à te dissuader[1] de ce mariage, lorsque je te disais que tu faisais une sottise, tu te fâchais et tu m'en
370 voulais, j'en suis sûre, de prendre ainsi ton intérêt contre toi-même! Eh! bien, tu reconnais à présent combien j'avais raison! Mais non, tu ne voulais rien entendre! et si je t'avais écoutée, j'aurais été demander à ta mère!… et j'aurais, moi, participé à ton malheur futur. Ah! tiens!
375 Valentine, tu ne mérites pas qu'on te plaigne.

VALENTINE, *tristement*. – Henriette, tu me fais de la peine.

HENRIETTE. – Cela t'apprendra à m'écouter à l'avenir!

VALENTINE. – Hélas! cousine, comment pouvais-je savoir?…

380 HENRIETTE. – C'est vrai!… le perfide, moi aussi, je m'y étais laissé prendre!… oh! mais, va, maintenant, je ne le regrette pas!

VALENTINE, *vivement*. – Oh! ni moi non plus, certes! *(Tristement.)* Et pourtant, je ne sais pas, il me semble que cela
385 me fait quelque chose.

HENRIETTE. – Que vois-je, tu pleures?

VALENTINE, *s'essuyant vivement les yeux*. – Moi, non, cousine!

HENRIETTE. – Enfant! à quoi bon me cacher tes larmes? Va, tu n'as pas à en rougir… La honte n'est pas pour celui
390 qui les verse. *(L'embrassant.)* Mais pour celui qui les fait couler.

VALENTINE, *avec effort*. – N'importe cousine, je ne pleurerai pas! ces larmes, il ne les mérite pas.

HENRIETTE, *tendrement*. – Hélas! ma pauvre chérie, tu n'as pas
395 été heureuse pour ton premier amour!… mais qu'une

---

1. *Dissuader* : détourner.

chose te console : Dis-toi bien que tu aurais pu être bien plus malheureuse en devenant sa femme !

VALENTINE. – C'est vrai, cousine, aussi je ne veux plus penser à lui et je l'oublierai, je te le promets !

400 HENRIETTE. – C'est ce que tu feras de mieux, fillette !

VALENTINE, *avec douleur.* – Et je le haïrai !

HENRIETTE, *vivement.* – Oh ! cela garde-t'en bien, ma pauvre enfant,… tu l'adorerais.

VALENTINE. – Moi… l'adorer ? Mais…

405 HENRIETTE. – Oh ! toi, tout comme une autre ! Va ! nous sommes toutes les mêmes, nous autres femmes ! Aussi ne cherche pas à le haïr, n'essaie même pas de le juger, car si ta douleur le condamnait, ton amour trouverait encore une excuse pour le justifier. Oublie-le, voilà tout ! et

410 quand l'oubli sera peu à peu entré dans ton cœur, quand l'amour ne sera plus là pour excuser cet homme, alors tu verras comme tu le mépriseras et comme tu remercieras le ciel des pleurs qu'il t'aura fait verser.

VALENTINE, *avec tendresse.* – Ma chère Henriette !… Tu es

415 bonne, toi,… tu cherches à me consoler, tu ne veux pas que je pleure.

HENRIETTE, *vivement.* – Mais certainement non, je ne veux pas que tu pleures ! Eh ! que diraient nos invités s'ils te voyaient de la sorte ! Je veux que tu sois gaie au

420 contraire, que tu ries, que tu danses, que tu t'amuses enfin !… Allons, fillette, embrasse-moi. *(Elles s'embrassent.)* Et maintenant, mademoiselle de Stainfeld, vous pouvez épouser «Notre futur» !

Le rideau tombe.

DOSSIER

■ **Avez-vous bien lu ?**

■ **Exercices de langue**

■ **Le mariage arrangé**
  (groupement de textes n° 1)

■ **Rire sur scène**
  (groupement de textes n° 2)

■ **La mise en scène**

■ **Images du vaudeville au XIXᵉ siècle**

Avez-vous bien lu ?

Le contexte de création : retenir l'essentiel

Pour compléter le texte suivant, relisez la présentation de l'édition, p. 7 à 24.

À l'origine, le vaudeville désigne une _____ populaire. Au théâtre, le vaudeville appartient au genre de la _____, qui se distingue de la tragédie. Il est l'un des types de pièces les plus joués au _____ siècle. Jusqu'en 1860, il fait alterner des dialogues parlés et des couplets chantés, et il est proche de notre actuelle _____ _____. Un auteur de vaudeville est appelé un _____ ; il écrit souvent ses pièces avec un autre _____. Les intrigues du vaudeville se déroulent à un rythme _____. Elles sont fondées sur des situations _____ qui font rire le spectateur et enchaînent les ____ __ _____. Elles ont souvent pour thème principal le _____ bourgeois et elles se terminent de façon _____. Les principaux théâtres parisiens où sont joués les vaudevilles dans la première moitié du XIXᵉ siècle sont _____, _____ et _____.

Eugène Labiche commence des études de ____ avant de se consacrer au théâtre. Ses premiers articles de critique théâtrale épinglent avec humour les _____ du milieu social dont il vient, la _____. Labiche situe *Embrassons-nous Folleville !*, une de ses premières pièces de théâtre, au _____ siècle pour éviter toute allusion à l'actualité _____.

Parmi ses vaudevilles les plus célèbres, écrits dans les années _____, figurent _____, _____ et _____. Son but principal est de faire _____ le public. Il parvient à faire jouer deux de ses pièces à la _____, mais sans grand succès. Après avoir tenté de se lancer en _____, à Rueil-Malmaison, puis à Souvigny-en-Sologne, il est élu en 1880 à _____.

Le père de Georges Feydeau est un _____, auteur d'un roman à succès intitulé _____. Très jeune, Georges Feydeau écrit des pièces de théâtre et joue des rôles, notamment dans des comédies de _____ et de _____. Il compose son premier grand vaudeville, *Tailleur pour dames*, pendant qu'il est à _____. Trois de ses plus grands succès sont : _____, _____, _____. Il part souvent en province ou à l'étranger pour _____ ___ _____ ses pièces car il veut contrôler tous les détails de la représentation. Ses vaudevilles comportent de nombreuses _____, qui sont autant d'indications de jeu pour les _____. Peu avant sa mort, atteint de troubles psychiques, Feydeau se prend pour _____.

Au fil des textes

Embrassons-nous Folleville !
Scènes 1 et 2 : exposition

1. Comment appelle-t-on une scène où un personnage parle seul devant les spectateurs ? Qui est Folleville et quel est son principal trait de caractère ? À quel problème est-il confronté ?

2. Qui est Manicamp et quel est son principal trait de caractère ? Pour quelle raison veut-il marier sa fille à Folleville ?

3. Folleville est-il d'accord pour épouser Berthe ? Pourquoi ne réussit-il pas à en parler à Manicamp ?

4. Quel rôle jouent les airs chantés dans ces deux scènes ?

5. Quel effet ces deux scènes produisent-elles sur le spectateur ? Pourquoi ?

Scène 6 : naissance de l'amour entre Berthe et Chatenay

6. Quel nouveau personnage fait son apparition sur scène ? Par quels traits de caractère peut-on le définir ? Quel point commun a-t-il avec Berthe ?

7. Pourquoi Chatenay n'en veut-il pas à Berthe de lui avoir donné un soufflet ?

8. Berthe paraît-elle sensible aux déclarations de Chatenay ? Le lui montre-t-elle ?

9. Quel effet la scène produit-elle sur le spectateur ? Pourquoi ?

Scène 9 : la demande en mariage

10. Comment Manicamp interprète-t-il d'abord la visite de Chatenay ? Quel est le véritable objet de cette visite ?

11. Quelle réponse lui donne Manicamp ? Chatenay accepte-t-il cette réponse ? Pourquoi les deux hommes se battent-ils en duel ?

12. En quoi cette demande en mariage est-elle comique ?

13. Quelles conceptions du mariage sont exprimées dans cette scène ?

Scènes 15 et 16 : les procédés comiques

14. Manicamp et Chatenay sont-ils heureux de dîner ensemble ? Pourquoi Manicamp fait-il servir à Chatenay uniquement des plats accompagnés de lentilles ?

15. Pourquoi Chatenay éclate-t-il de rire ? Quelle image a-t-il

de Berthe ? Est-elle conforme à ce que le spectateur a pu voir sur scène ?

16. Qui reçoit le verre d'eau que Manicamp voulait jeter à la figure de Chatenay ? Pourquoi Manicamp s'est-il mis dans une situation très embarrassante ? Comment Chatenay le tire-t-il de ce mauvais pas ?

17. Repérez les différents types de comique exploités dans cette scène par Labiche.

Scène 17 à 19 : le dénouement

18. Pourquoi Manicamp veut-il embrasser Chatenay à la scène 17 ?

19. Pourquoi Berthe veut-elle aller au couvent à la scène 18 ? Pourquoi change-t-elle d'avis ?

20. Quel nouveau personnage est sur le point d'arriver lors de la dernière scène ? Que vient-il faire ?

21. Manicamp répète-t-il « Embrassons-nous Folleville ! » avec le même objectif qu'au début de la pièce ?

Notre futur

1. Où se passe la pièce ? Qui est Henriette ? À quel moment de la journée se situe la scène ?

2. Par quoi Henriette est-elle préoccupée ? Qu'apprend-on de son histoire passée ?

3. Qui est Valentine ? Pourquoi est-elle arrivée en avance ?

4. Comment définiriez-vous le caractère de Valentine ? Et celui d'Henriette ? Quel type de relation unit les deux femmes ?

5. Qu'avoue Valentine à sa cousine ? Pourquoi a-t-elle envie de se marier ?

6. Pourquoi Henriette essaie-t-elle tout à coup de détourner Valentine de son projet de mariage ? Quel est son véritable objectif ?

7. Pourquoi Henriette se met-elle à lire le journal ? Qu'y découvre-t-elle ?

8. Bien qu'elle prétende avoir raison depuis le début, Henriette a-t-elle réellement été plus maligne que Valentine ? En quoi néanmoins est-elle plus expérimentée que sa jeune cousine ?

Exercices de langue

Les sentiments des personnages

Relisez attentivement le premier monologue de Folleville (scène 1). Imaginez les sentiments qu'éprouve Folleville et complétez le texte à l'aide des mots suivants (les indications scéniques précèdent toujours les paroles auxquelles elles s'appliquent) : *(Avec fermeté)* ; *(S'échauffant peu à peu)* ; *(Avec désespoir)* ; *(Avec attendrissement).*

FOLLEVILLE, *seul, à la cantonade*

Prévenez M. le marquis de Manicamp que le chevalier de Folleville l'attend au salon. *(Descendant la scène.)* _____ Allons, c'est décidé, il faut que j'en finisse aujourd'hui. _____ Comprend-on ce Manicamp ?… se prendre tout à coup d'une belle passion pour moi à propos de je ne sais quelle aventure de chasse et vouloir à toute force me faire épouser sa fille. Tous les matins, j'entre ici avec la ferme résolution de rompre… mais, dès que Manicamp m'aperçoit… il m'ouvre les bras, me caresse, m'embrasse en m'appelant son cher Folleville… son bon Folleville… le moyen de dire à un père aussi souriant : «Votre fille n'est pas mon fait, cherchez un autre gendre...» _____ Alors j'hésite, je remets au lendemain, les jours se passent, et, si ça continue, je me trouverai marié sans m'en apercevoir... Ce n'est pas que mademoiselle Berthe de Manicamp soit plus mal qu'une autre... Au contraire, elle est jolie, spirituelle, riche... oui, mais elle a un défaut, elle est petite... oh! mais petite!... _____ tandis que ma cousine Aloïse!... une cousine de cinq pieds quatre pouces!...

Vocabulaire et étymologie

1. Dans la liste de mots suivante, identifiez les préfixes de chacun et rayez l'intrus qui s'est glissé. Quels sont les points communs entre les mots qui restent, du point de vue du sens et du point de vue de leur formation?

insuffisance; imprévu; emporté; malheureuse; malhonnête; désordre.

2. Rangez les mots suivants en deux groupes, en fonction de leur sens:

patience; emporté; brutalité; vivacité; modération; égalité; bouillant; dignité; colère.

3. Classez les adjectifs suivants en fonction de leur degré d'intensité (du moins intense au plus intense):

brûlant; froid; vif; emporté.

Les types de phrase

1. Transformez les phrases négatives suivantes en phrases affirmatives, sans changer le sens :

   A. On ne peut pas ne pas aimer Berthe.

   B. Je ne bois de vin que lorsque je suis de bonne humeur.

2. Dans les phrases suivantes, soulignez les éléments (mots et ponctuation) qui expriment l'interrogation :

   A. Est-ce que vous seriez lent ?

   B. Mais que va-t-on dire de toi dans le monde ?

   C. Mais pourquoi ne sait-il pas danser le menuet ?

   D. Comment entamer la chose ?

   E. Qu'est-ce que je vous ai fait pour être aimé comme ça ?

3. Récrivez les phrases interrogatives suivantes en pratiquant l'inversion entre le sujet et le verbe :

   A. Vous voulez faire violence à mon cœur, à mes sentiments ?

   B. Le notaire est mort ?

Le mariage arrangé (groupement de textes n° 1)

Comme l'indique la présentation de l'édition (voir « Deux comédies sur le mariage », p. 21), avant la fin du XIXe siècle, on se marie rarement par amour : l'alliance entre un homme et une femme résulte de l'accord entre deux familles qui, par ce biais, cherchent à renforcer leur position sociale et leur fortune.

De nombreuses personnalités littéraires et artistiques ont critiqué les conséquences du mariage arrangé dans leurs œuvres. C'est le cas d'un peintre comme William Hogarth ou d'auteurs de théâtre comme Shakespeare, Molière et Labiche.

William Hogarth, *Le Mariage à la mode* (1744)

Pour composer ses tableaux, le grand peintre anglais William Hogarth (1697-1764) s'inspire de la scène théâtrale, dont il est un grand amateur. Il explique ainsi l'influence du genre dramatique sur sa peinture : « Mon tableau était ma scène, les hommes et les femmes mes acteurs, qui devaient exposer aux yeux une pantomime[1] muette au moyen de certaines actions et expressions[2]. » Avec humour, il représente les gens simples et les bourgeois de son époque dans des peintures racontant de véritables histoires.

Son œuvre *Le Mariage à la mode* est divisée en six tableaux, comme les épisodes d'un roman ou les scènes d'une pièce de théâtre. L'ensemble montre la vie d'un couple de bourgeois, depuis leur mariage arrangé jusqu'à leur mort. Leur lente descente aux enfers constitue une critique particulièrement vive des conséquences malheureuses d'un mariage qui n'a pas été décidé par les deux époux.

Premier tableau de ce cycle, *Le Contrat de mariage* (cahier photos, p. 3) met en scène différents groupes de personnages : les futurs époux, les deux pères, ainsi que le notaire et son assistant (qu'on appelle « clerc de notaire »).

---

1. *Une pantomime* : un jeu muet, fondé sur l'expression du corps et du visage.
2. William Hogarth, « Autobiographical Notes », dans *An Analysis of Beauty*, éd. Joseph Burke, Oxford, Clarendon Press, 1955, p. 209.

1. Décrivez le décor de la scène. Quel milieu social représente le tableau ?

2. Les deux futurs époux sont peints à l'extrémité gauche du tableau. Que fait le fiancé ?

3. À votre avis, que raconte le clerc de notaire à la jeune fille ?

4. Les deux hommes assis à table sont les pères des deux futurs époux. Que font-ils avec le notaire qui est debout entre eux ? Quel est l'objet que tient le père assis à droite ? Les deux pères sont-ils issus du même milieu social ?

5. Quelle conception du mariage le tableau met-il en scène ?

6. En vous appuyant sur les réponses que vous avez apportées aux questions précédentes, imaginez les paroles que s'échangent d'une part la fiancée et le clerc de notaire, et d'autre part les deux pères et le notaire. Présentez les deux échanges séparément, sous la forme de deux dialogues de théâtre. Accompagnez-les de didascalies qui précisent les sentiments et la gestuelle de chaque personnage.

Shakespeare, *Roméo et Juliette* (v. 1596)

William Shakespeare (1564-1616) est le plus grand des dramaturges anglais. Ses pièces ont influencé de très nombreux auteurs à travers le monde et sont encore aujourd'hui parmi les plus jouées, toutes scènes confondues. Certaines, comme *Hamlet*, *Macbeth* et *Roméo et Juliette*, relèvent du genre de la tragédie, d'autres, tels *Le Songe d'une nuit d'été* et *Les Joyeuses Commères de Windsor*, de la comédie. Directeur de la troupe du roi d'Angleterre, installée au théâtre du Globe à Londres, Shakespeare mettait en scène ses propres pièces et en jouait souvent l'un des rôles principaux.

Roméo et Juliette raconte l'histoire de deux jeunes gens qui tombent amoureux l'un de l'autre pendant un bal, à Vérone, en Italie. Mais trois obstacles s'élèvent contre leur amour : ils appartiennent à deux familles ennemies, les Montaigu et les Capulet ; les parents de Juliette veulent lui faire épouser le comte Paris ; enfin, Roméo est banni de Vérone parce qu'il a tué en duel le cousin de Juliette. La fin de la pièce est malheureuse : les deux amants meurent tous deux après s'être mariés en secret.

À la scène 3, qui se situe au début de l'œuvre, la mère de Juliette vient la voir dans sa chambre avec sa nourrice, pour lui dire qu'elle est en âge de se marier et qu'elle la destine au comte Paris. La jeune fille ne connaît pas encore l'existence de Roméo : elle le rencontrera le soir même, peu après cette scène.

Acte I, scène 3

Une chambre dans la maison de Capulet.
Entrent DAME CAPULET *et* LA NOURRICE.

[...]

DAME CAPULET

Mais par Marie, c'est justement de la « marier »
Que nous allons parler[1]. Dites, ma fille Juliette,
Comment vous sentez-vous disposée à l'égard du mariage ?

JULIETTE

C'est un honneur que[2] je ne rêve point encore.

---

1. La nourrice de Juliette vient d'évoquer le mariage de la jeune fille (« Et si je vis assez vieille pour te voir un jour mariée/ Tous mes vœux seront accomplis »).
2. *Que* : auquel.

LA NOURRICE

Un honneur ! si je n'étais pas ta seule nourrice
Je dirais que la sagesse, tu l'as sucée au téton.

DAME CAPULET

Eh bien le temps vient d'y penser ; de plus jeunes que vous
Dans Vérone dames de réputation
Sont déjà mères. Si je fais le calcul
J'étais votre mère à peu près vers cet âge
Où vous êtes encor[1] jeune fille. Allons donc au but :
Le vaillant Paris vous recherche pour femme.

LA NOURRICE

Un homme, jeune dame, un tel homme, ah Madame !
Que dans le monde entier – enfin, beau comme le marbre !

DAME CAPULET

Tout l'été de Vérone n'a pas plus belle fleur.

LA NOURRICE

Ah oui c'est une fleur, ma foi c'est une vraie fleur.

DAME CAPULET

Qu'en dites-vous ? pouvez-vous aimer ce gentilhomme[2] ?
Ce soir vous le verrez à notre fête :
Ouvrez le livre du visage de Paris
Trouvez les charmes inscrits en lui par la plume de la beauté.

Shakespeare, *Roméo et Juliette*, acte I, scène 3,
trad. Pierre Jean Jouve et Georges Pitoëff, Flammarion,
coll. «Étonnants Classiques», 2006, p. 54.

---

1. *Encor* : encore.
2. *Gentilhomme* : homme de naissance noble.

1. Quel argument utilise la mère de Juliette pour la convaincre qu'il est temps pour elle de se marier ?

2. Comment s'appelle le jeune homme qui souhaite épouser Juliette ? Quand Juliette va-t-elle le rencontrer ?

3. Quel portrait Lady Capulet et la nourrice dressent-ils de ce jeune prétendant ?

4. Pourquoi les paroles de la nourrice font-elles rire le spectateur ?

Molière, *Le Mariage forcé* (1664)

Directeur de troupe, comédien et dramaturge français, Jean-Baptiste Poquelin (1622-1673), dit Molière, a principalement écrit des comédies, parmi lesquelles *L'Avare*, *Le Bourgeois gentilhomme*, *Les Fourberies de Scapin* et *Le Malade imaginaire*. À travers ses pièces, il veut corriger les mœurs en faisant « rire les honnêtes gens ».

Comédie-ballet en un acte, dont la musique a été écrite par Jean-Baptiste Lully, le musicien le plus apprécié du roi Louis XIV, *Le Mariage forcé* a été représenté pour la première fois au palais du Louvre devant le souverain, en 1664. La pièce raconte l'histoire du riche Sganarelle, un homme de cinquante-trois ans, qui veut épouser la jeune Dorimène, fille d'Alcantor. Géronimo juge ce projet déraisonnable à cause de la différence d'âge des deux protagonistes, mais ne parvient pas à faire changer d'avis son ami. À la scène 7, Sganarelle surprend un dialogue où Dorimène assure à son amant Lycaste qu'elle sera bientôt délivrée de son futur mari qui, en raison de son grand âge, mourra très vite. Sganarelle n'a plus envie de l'épouser et décide d'aller voir Alcantor pour annuler le mariage.

Scène 8

ALCANTOR, SGANARELLE

ALCANTOR. – Ah ! mon gendre, soyez le bienvenu.

SGANARELLE. – Monsieur, votre serviteur[1].

ALCANTOR. – Vous venez pour conclure le mariage ?

SGANARELLE. – Excusez-moi.

ALCANTOR. – Je vous promets que j'en ai autant d'impatience que vous[2].

SGANARELLE. – Je viens ici pour un autre sujet.

ALCANTOR. – J'ai donné ordre à toutes les choses nécessaires pour cette fête.

SGANARELLE. – Il n'est pas question de cela.

ALCANTOR. – Les violons sont retenus[3], le festin est commandé, et ma fille est parée[4] pour vous recevoir.

SGANARELLE. – Ce n'est pas ce qui m'amène.

ALCANTOR. – Enfin vous allez être satisfait et rien ne peut retarder votre consentement[5].

SGANARELLE. – Mon Dieu ! c'est autre chose.

ALCANTOR. – Allons, entrez donc, mon gendre.

---

1. *Votre serviteur* : expression qui signifie «je suis à votre service» et non que Sganarelle est le domestique d'Alcantor.
2. *J'en ai autant d'impatience que vous* : je suis aussi impatient que vous.
3. *Retenus* : réservés.
4. *Parée* : vêtue de ses plus beaux habits.
5. *Votre consentement* : le «oui» prononcé par le marié lors de la cérémonie du mariage.

SGANARELLE. – J'ai un petit mot à vous dire.

ALCANTOR. – Ah! mon Dieu, ne faisons point de cérémonie[1]. Entrez vite, s'il vous plaît.

SGANARELLE. – Non, vous dis-je. Je veux vous parler auparavant.

ALCANTOR. – Vous voulez me dire quelque chose?

SGANARELLE. – Oui.

ALCANTOR. – Et quoi?

SGANARELLE. – Seigneur Alcantor, j'ai demandé votre fille en mariage, il est vrai, et vous me l'avez accordée; mais je me trouve un peu avancé en âge[2] pour elle, et je considère que je ne suis point du tout son fait[3].

ALCANTOR. – Pardonnez-moi, ma fille vous trouve bien comme vous êtes; et je suis sûr qu'elle vivra fort contente avec vous.

SGANARELLE. – Point[4]. J'ai parfois des bizarreries[5] épouvantables, et elle aurait trop à souffrir de ma mauvaise humeur.

ALCANTOR. – Ma fille a de la complaisance[6], et vous verrez quelle s'accommodera[7] entièrement à vous.

SGANARELLE. – J'ai quelques infirmités sur mon corps qui pourraient la dégoûter.

---

1. *Ne faisons point de cérémonie* : comportons-nous avec simplicité, sans rester prisonniers des convenances sociales.
2. *Avancé en âge* : âgé, vieux.
3. *Je ne suis point du tout son fait* : je ne lui plais pas du tout.
4. *Point* : non.
5. *Des bizarreries* : des comportements étranges, des caprices.
6. *A de la complaisance* : est indulgente.
7. *S'accommodera* : s'adaptera.

ALCANTOR. – Cela n'est rien. Une honnête femme[1] ne se dégoûte jamais de son mari.

SGANARELLE. – Enfin, que voulez-vous que je vous dise ? je ne vous conseille pas de me la donner.

ALCANTOR. – Vous moquez-vous[2] ? J'aimerais mieux mourir que d'avoir manqué à ma parole.

SGANARELLE. – Mon Dieu, je vous en dispense, et je…

ALCANTOR. – Point du tout. Je vous l'ai promise ; et vous l'aurez en dépit de tous ceux qui y prétendent[3].

SGANARELLE. – Que diable[4] !

ALCANTOR. – Voyez-vous, j'ai une estime et une amitié pour vous toute particulière ; et je refuserais ma fille à un prince pour vous la donner.

SGANARELLE. – Seigneur Alcantor, je vous suis obligé[5] de l'honneur que vous me faites, mais je vous déclare que je ne me veux point marier[6].

ALCANTOR. – Qui, vous ?

SGANARELLE. – Oui, moi.

[…]

Molière, *Le Mariage forcé*, scène 8.

---

1. *Une honnête femme* : une femme attachée à l'honneur.
2. *Vous moquez-vous ?* : vous plaisantez !
3. *En dépit de tous ceux qui y prétendent* : contre tous ceux qui veulent épouser ma fille.
4. *Que diable !* : juron qui marque l'étonnement.
5. *Je vous suis obligé* : je vous suis reconnaissant.
6. *Je ne me veux point marier* : je ne veux pas me marier.

1. Pourquoi Sganarelle vient-il voir Alcantor ? Quel but Alcantor prête-t-il à la visite de Sganarelle ? Pourquoi ce premier malentendu est-il comique ? Pour répondre, étudiez les répliques de la première partie du passage, jusqu'à la réponse « Et quoi ? ».

2. Quels arguments utilise Sganarelle pour dissuader Alcantor de lui donner sa fille, alors que les deux familles se sont déjà engagées à conclure le mariage ?

3. Quels arguments Alcantor développe-t-il pour convaincre Sganarelle qu'il doit épouser sa fille ? Alcantor comprend-il tout de suite que Sganarelle ne souhaite pas se marier ? Que croit-il d'abord ? Pourquoi ce deuxième malentendu est-il comique lui aussi ?

4. Relisez la scène 2 d'*Embrassons-nous Folleville !* Quels points communs et quelles différences repérez-vous entre la scène de Molière et celle de Labiche ?

5. Imaginez la gestuelle, les expressions et les déplacements des personnages, ainsi que les sentiments qui animent leurs répliques. En fonction de votre réponse, ajoutez des indications scéniques dans la marge aux endroits qui vous semblent importants.

Eugène Labiche, *Un monsieur qui prend la mouche* (1852)

Dans la comédie vaudeville en un acte de Labiche intitulée *Un monsieur qui prend la mouche*, le bourgeois de campagne Bécamel a arrangé par lettre le mariage de sa fille Cécile avec un avocat de la Drôme, maître Savoyart. Le fiancé doit arriver pour le déjeuner, mais Cécile n'a pas encore été mise au courant...

Scène 3

BÉCAMEL, *puis* CÉCILE.

BÉCAMEL. – Mon gendre sera ici dans une petite heure… Je n'ai que le temps de préparer ma fille…

CÉCILE, *entrant par la droite*. – Papa, as-tu la clef de l'office[1] ? il n'y a plus de macarons pour le dessert.

BÉCAMEL. – Ma fille, il ne s'agit pas de macarons… le moment est venu d'avoir avec toi un entretien solennel…

Il s'assied.

CÉCILE. – Ah ! mon Dieu !

BÉCAMEL, *se donnant un air grave*. – Cécile… as-tu songé quelquefois que tu pourrais un jour te marier ?

CÉCILE. – Oh ! oui, papa… très souvent.

BÉCAMEL. – Eh bien, mon enfant, cette heure a sonné !

CÉCILE. – Vraiment !… Est-il bien ?

BÉCAMEL. – Qui ça ?

CÉCILE. – Le jeune homme ?

BÉCAMEL. – Fort convenable… c'est un homme froid…

CÉCILE, *faisant la moue*. – Ah !

BÉCAMEL. – Posé, rassis[2], entendant parfaitement les affaires, et possédant cent huit actions des Zincs de la Vieille-Montagne[3]…

---

1. *L'office* : la pièce où l'on prépare les repas.
2. *Rassis* : réfléchi, pondéré.
3. L'avocat est riche car il possède des parts dans une société apparemment importante.

CÉCILE. – Mais je ne vous demande pas ça ! Est-il brun, blond ? a-t-il des moustaches ?

BÉCAMEL, *se levant* – Des moustaches ! un avocat ?

CÉCILE. – Ah ! c'est un avocat ?

BÉCAMEL. – Tu ne devines pas ?

CÉCILE. – Non.

BÉCAMEL. – Eh bien, c'est…

CÉCILE – C'est ?…

BÉCAMEl. – Maître Savoyart.

CÉCILE, *reculant.* – Oh ! par exemple !

BÉCAMEL. – Qu'as-tu donc ?

CÉCILE. – Tiens ! si vous croyez que c'est amusant de s'appeler toute sa vie Mme Savoyart.

[…]

Labiche, *Un monsieur qui prend la mouche*, scène 3.

1. Quels éléments signalent qu'il est question dans cette scène d'un mariage arrangé ?
2. Pourquoi, selon Bécamel, maître Savoyart est-il le gendre parfait ? Cécile a-t-elle la même vision que lui du mari idéal ? Que veut-elle savoir sur son futur mari ? Pourquoi est-elle aussi ridicule que son père ?
3. Caractérisez le personnage de Bécamel d'après cette scène.
4. Quel effet le comportement des deux personnages produit-il sur le spectateur ? Justifiez votre réponse.

Exercice d'écriture sur le mariage arrangé : la suite de *Notre futur*

Écrivez la suite de *Notre futur* à partir des indications suivantes : M. de Neyriss arrive avant les autres invités. Les deux femmes lui montrent le journal et lui demandent de justifier son comportement. Il leur explique alors comment son père l'a contraint à un mariage arrangé avec une jeune fille qu'il n'aime pas.

Vous présenterez votre texte à la manière d'un dialogue de théâtre entre M. de Neyriss, Henriette et Valentine. Vous accompagnerez les répliques de didascalies qui précisent les sentiments des personnages, leur ton et leurs gestes.

Rire sur scène (groupement de textes n° 2)

Relisez le passage sur le comique dans la présentation de l'édition (p. 15).

Vous en avez déjà fait l'expérience : le rire est communicatif. Un des moyens de faire rire le spectateur aux éclats consiste à montrer sur le théâtre un personnage qui ne parvient pas à s'arrêter de rire. Les personnages qui sont sur scène rient alors par contagion... ou ne rient pas, ce qui peut redoubler le rire du public. Ces deux possibilités sont exploitées par Evaristo Gherardi, Molière et Feydeau.

La Selle, *Ulysse et Circé* (1691)

L'auteur et comédien italien Evaristo Gherardi (1663-1700) arrive en France dans les années 1670 et se spécialise dans le rôle comique d'Arlequin, valet naïf, rusé et gourmand de la *commedia dell'arte*. En 1700, il réunit dans un recueil en trois volumes de nombreuses pièces, pour la plupart anonymes, qui ont été jouées sur le théâtre italien de l'Hôtel de Bourgogne, à Paris, entre 1694 et 1700. Parmi ces œuvres figure une comédie en trois actes, *Ulysse et Circé*, de La Selle, jouée en 1691. La pièce parodie les opéras de cour de l'époque, qui mettaient en scène Ulysse, le héros de la guerre de Troie. Elle suit l'histoire de ce dernier et de la magicienne Circé telle que la rapporte la mythologie grecque. Circé tombe amoureuse d'Ulysse pendant la bataille de Troie (acte I) et l'attire dans son île pour le séduire (acte II). Dans la récriture italienne, la confidente de Circé, Colombine, tente d'aider sa maîtresse à changer les sentiments d'Ulysse, qui ne pense qu'à retourner à Ithaque pour retrouver son épouse Pénélope. Circé a transformé la plupart des compagnons d'Ulysse en animaux. Pour libérer ses hommes, celui-ci feint d'accepter de l'épouser.

Dans la scène 9 de l'acte III, Colombine annonce à Arlequin et Mezzetin, deux des compagnons d'Ulysse, que Circé et Ulysse ont décidé qu'elle-même épouserait Arlequin. Elle s'en réjouit, mais la nouvelle attriste Arlequin, car il ne l'aime pas et souhaite quitter l'île.

Pour leurs jeux de scène comiques, les comédiens-italiens exploitaient la gestuelle du corps, les expressions du visage et l'improvisation, beaucoup plus que les acteurs de la Comédie-Française.

Acte III, scène 9

COLOMBINE, ARLEQUIN, MEZZETIN

COLOMBINE. – Courage, Arlequin, nos affaires vont bien : allons gai, gai de la joie, ris donc, ah, ah, ah, ris donc, te dis-je, ah, ah, ah.

Elle rit.

ARLEQUIN. – Ah, ah, ah… Cela est fort drôle, oui, ah, ah.

Il rit.

MEZZETIN. – Cela est fort drôle, dis-tu ?

ARLEQUIN. – Assurément, j'en crève de rire, ah, ah, ah.

MEZZETIN. – Puisque tu m'assures que cela est plaisant, je m'en vais rire aussi[1], ah, ah, ah…

Il fait un rire forcé.

ARLEQUIN. – Ô ça, Colombine, tu vois que nous n'avons pas mal ri ; sachons un peu présentement[2] ce qui nous fait tant rire ?

COLOMBINE. – Ah, ah, ah, ah, ah, ah…

Tous trois rient ensemble.

ARLEQUIN. – Sera-ce bientôt assez ? ah, ah… Dis un peu à cette heure[3] ?

COLOMBINE. – C'est qu'on va nous marier ensemble, ah, ah. Comment, vous ne riez plus ?

---

1. *Je m'en vais rire aussi* : je vais rire aussi.
2. *Présentement* : maintenant.
3. *À cette heure* : maintenant.

ARLEQUIN, *d'un ton triste*. – C'est donc là ce qui est si plaisant ?

> *Colombine et Mezzetin rient ensemble.*

COLOMBINE. – Assurément. N'es-tu pas le plus heureux homme du monde de m'épouser ? je t'en assure au moins[1].

ARLEQUIN. – Vous faites fort bien de m'en assurer ; car cette affaire est de la nature de celles dont il est permis de douter : mais comment cela s'est-il fait sans que j'en aie ouï parler[2], ni que j'y aie jamais songé ?

MEZZETIN *rit*. – Bon, cela arrive tous les jours, ah, ah, ah.

> La Selle, *Ulysse et Circé*, acte III, scène 9,
> in Evaristo Gherardi, *Le Théâtre italien de Gherardi,*
> *ou le Recueil général de toutes les comédies et scènes françaises*
> *jouées par les comédiens-italiens du roi pendant tout le temps*
> *qu'ils ont été au service*, Pierre Witte, 1717 [1700], t. III,
> p. 500-501.

1. Arlequin et Mezzetin savent-ils d'abord pourquoi Colombine rit et les incite à rire ? Pour quelle raison se mettent-ils à rire à leur tour ?
2. Leur rire est-il naturel ? Quel élément du texte montre que ce n'est pas le cas ?
3. Pourquoi Arlequin cesse-t-il brusquement de rire ?
4. À quelle conception du mariage Mezzetin fait-il allusion dans sa dernière réplique ?

---

1. *Je t'en assure au moins* : je t'assure que tu vas m'épouser.
2. *Ouï parler* : entendu parler.

Molière, *Le Bourgeois gentilhomme* (1670)

Comédie-ballet en cinq actes, écrite par Molière et accompagnée de danses et de chants composés par Lully, *Le Bourgeois gentilhomme* a été représenté la première fois devant la cour du roi Louis XIV, au château de Chambord, en 1670, par la troupe de Molière. Dans sa comédie, celui-ci se moque d'un riche bourgeois naïf et ridicule, M. Jourdain, qui veut devenir gentilhomme[1] et prend des leçons pour apprendre les manières des nobles. Lors de la création de la pièce, c'est Molière lui-même qui jouait le rôle principal.

À la scène 1 de l'acte III, qui précède immédiatement notre extrait, un maître tailleur apporte à M. Jourdain « le plus bel habit de la cour, et le mieux assorti ». Selon l'inventaire après décès de Molière, conservé à la Comédie-Française, le costume comportait ces éléments : un « pourpoint[2] de taffetas[3] garni de dentelle d'argent faux », ainsi qu'un « ceinturon, des bas de soie verts, et des gants, avec un chapeau garni de plumes aurore[4] et vert ». La servante Nicole découvre son maître vêtu de ces habits qui lui donnent un air ridicule. Elle ne parvient plus à s'arrêter de rire, malgré le respect qu'elle doit à son maître.

---

1. *Gentilhomme* : noble.
2. *Pourpoint* : partie de l'habit qui couvre la poitrine, du cou jusqu'à la ceinture.
3. *Taffetas* : tissu de soie ; la soie est rare et chère au XVIIᵉ siècle ; un bourgeois n'en porte généralement pas ; on la trouve plutôt sur les costumes des nobles, et particulièrement les costumes de danse.
4. *Aurore* : jaune doré.

Acte III, scène 2

NICOLE, MONSIEUR JOURDAIN, LAQUAIS[1]

MONSIEUR JOURDAIN. – Nicole !

NICOLE. – Plaît-il ?

MONSIEUR JOURDAIN. – Écoutez.

NICOLE. – Hi, hi, hi, hi, hi !

MONSIEUR JOURDAIN. – Qu'as-tu à rire ?

NICOLE. – Hi, hi, hi, hi, hi, hi !

MONSIEUR JOURDAIN. – Que veut dire cette coquine-là ?

NICOLE. – Hi, hi, hi. Comme vous voilà bâti ! Hi, hi, hi !

MONSIEUR JOURDAIN. – Comment donc ?

NICOLE. – Ah, ah ! mon Dieu ! Hi, hi, hi, hi, hi !

MONSIEUR JOURDAIN. – Quelle friponne est-ce là ! Te moques-tu de moi ?

NICOLE. – Nenni[2], Monsieur, j'en serais bien fâchée. Hi, hi, hi, hi, hi, hi !

MONSIEUR JOURDAIN. – Je te baillerai[3] sur le nez, si tu ris davantage.

NICOLE. – Monsieur, je ne puis pas[4] m'en empêcher. Hi, hi, hi, hi, hi, hi !

MONSIEUR JOURDAIN. – Tu ne t'arrêteras pas ?

---

1. *Laquais* : domestiques.
2. *Nenni* : non.
3. *Baillerai* : frapperai.
4. *Je ne puis pas* : je ne peux pas.

NICOLE. – Monsieur, je vous demande pardon ; mais vous êtes si plaisant[1], que je ne saurais me tenir de rire[2]. Hi, hi, hi !

MONSIEUR JOURDAIN. – Mais voyez quelle insolence !

NICOLE. – Vous êtes tout à fait drôle comme cela. Hi, hi !

MONSIEUR JOURDAIN. – Je te…

NICOLE. – Je vous prie de m'excuser. Hi, hi, hi, hi !

MONSIEUR JOURDAIN. – Tiens, si tu ris encore le moins du monde[3], je te jure que je t'appliquerai sur la joue le plus grand soufflet[4] qui se soit jamais donné.

NICOLE. – Hé bien, Monsieur, voilà qui est fait, je ne rirai plus.

MONSIEUR JOURDAIN. – Prends-y bien garde. Il faut que pour tantôt[5] tu nettoies…

NICOLE. – Hi, hi !

MONSIEUR JOURDAIN. – Tu nettoies comme il faut…

NICOLE. – Hi, hi !

MONSIEUR JOURDAIN. – Il faut, dis-je, que tu nettoies la salle, et…

NICOLE. – Hi, hi !

MONSIEUR JOURDAIN. – Encore !

NICOLE. – Tenez, Monsieur, battez-moi plutôt et me laissez rire tout mon soûl[6], cela me fera plus de bien. Hi, hi, hi, hi, hi !

MONSIEUR JOURDAIN. – J'enrage.

---

1. *Plaisant* : drôle.
2. *Me tenir de rire* : me retenir de rire.
3. *Le moins du monde* : un tant soit peu.
4. *Le plus grand soufflet* : la plus grande gifle.
5. *Tantôt* : demain.
6. *Tout mon soûl* : autant que j'en ai envie.

NICOLE. – De grâce[1], Monsieur, je vous prie de me laisser rire. Hi, hi, hi !

MONSIEUR JOURDAIN. – Si je te prends…

NICOLE. – Monsieur, eur, je crèverai, ai, si je ne ris. Hi, hi, hi !

MONSIEUR JOURDAIN. – Mais a-t-on jamais vu une pendarde[2] comme celle-là ? qui me vient rire insolemment au nez[3], au lieu de recevoir mes ordres ?

NICOLE. – Que voulez-vous que je fasse, Monsieur ?

MONSIEUR JOURDAIN. – Que tu songes, coquine, à préparer ma maison pour la compagnie[4] qui doit venir tantôt.

NICOLE. – Ah, par ma foi[5], je n'ai plus envie de rire ; et toutes vos compagnies font tant de désordre céans[6] que ce mot est assez pour me mettre en mauvaise humeur[7].

Molière, *Le Bourgeois gentilhomme*, acte III, scène 2.

1. Pourquoi Nicole ne parvient-elle plus à s'arrêter de rire ? Comment son rire est-il indiqué dans la scène ?

2. Pourquoi M. Jourdain est-il mécontent ?

3. Comment M. Jourdain parvient-il à arrêter le rire de Nicole ?

4. Que critique Molière à travers le rire de Nicole ?

5. Sur la gravure de Moreau le Jeune qui illustre cette scène (page ci-contre), observez le vêtement du bourgeois

---

1. *De grâce* : s'il vous plaît.

2. *Pendarde* : friponne.

3. *Qui me vient rire insolemment au nez* : qui vient me rire insolemment au nez.

4. *La compagnie* : le groupe de personnes.

5. *Par ma foi* : expression qui souligne ce qu'on affirme avec force.

6. *Céans* : dans la maison.

7. *En mauvaise humeur* : de mauvaise humeur.

■ Gravure de Moreau le Jeune (1741-1819) illustrant *Le Bourgeois gentilhomme* (1670) de Molière.

gentilhomme. Décrivez-le et relevez ses différences avec ceux des deux autres hommes représentés.

6. Sur cette gravure, à quels signes voit-on que le bourgeois gentilhomme est très en colère ? Décrivez sa gestuelle et l'expression de son visage.

7. Comment le graveur montre-t-il, sans utiliser de mots ni de transcriptions sonores, que Nicole rit sans pouvoir s'arrêter ?

8. Imaginez le dialogue entre les laquais, qui sont spectateurs de cette scène. Présentez les répliques sous la forme d'un dialogue de théâtre accompagné de didascalies.

Georges Feydeau, *La Dame de chez Maxim* (1899)

Le vaudeville en trois actes *La Dame de chez Maxim* montre le docteur Petypon embourbé dans une situation délicate après avoir passé une soirée trop arrosée au cabaret Chez Maxim. À son réveil, Petypon se rend compte qu'il a ramené chez lui une célèbre danseuse du Moulin-Rouge, la Môme Crevette. L'oncle de Petypon, un vieux général, arrive à l'improviste et prend la Môme Crevette pour la femme de son neveu. Il l'invite à un mariage dans son château en Touraine. Une fois là-bas, Petypon est obligé de jouer la comédie devant les invités pour que personne ne découvre son aventure et que sa femme ne soit pas mise au courant.

À la scène 8 de l'acte II, la Môme Crevette est avec Petypon au château. Elle provoque l'admiration des invités provinciaux, qui croient que ses manières vulgaires sont à la mode à Paris. Elle se met à chanter une chanson de cabaret, *La Marmite à Saint-Lazare*, dont les sous-entendus sexuels échappent aux auditeurs. Une duchesse s'interroge naïvement sur le sens d'un mot de la chanson, ce qui provoque un fou rire de la Môme Crevette.

Acte II, scène 8

[...]

LA MÔME. – Hein ? Quoi ?... *(Prise d'un rire convulsif[1].)* Ah ! ah ! ah ! Elle est bien bonne !... Un pot pour remplacer la marmite ! Ah ! ah ! ah ! La duchesse qui s'imagine... Ah ! ah ! ah ! c'est à mourir !

TOUT LE MONDE, *gagné par le rire.* – Qu'est-ce qu'elle a ? Mais qu'est-ce qu'elle a ?

PETYPON, *à part, dans les transes[2].* – Mon Dieu !...

LA MÔME, *de même.* – Ah ! ah ! ah ! ah !... Ah ! non c'est trop drôle ! Ah ! Ah ! ah !... Ah ! ah ! ah ! ah ! *(Dans l'épuisement du rire.)* Ah !... meeerde !

Sursaut général.

PETYPON, *qui s'est dressé d'un bond et reste cloué sur place.* – Oh !

Parmi les invités, le rire s'est figé sur toutes les lèvres ! un silence glacial règne !

l'on se regarde et, peu à peu, l'on entend des chuchotements.

« Qu'est-ce qu'elle a dit ?... Qu'est-ce qu'elle a dit ?... »

PETYPON, *passant vivement devant la Môme et s'élançant face aux invités.* – C'est la grrrande mode à Paris ! Ç'a été lancé chez la baronne Bayard !...

LES INVITÉS, *peu édifiés[3] par ces arguments, tout en remontant[4].* – Oui... Oh ! ben !...

[...]

Georges Feydeau, *La Dame de chez Maxim*,
acte II, scène 8.

---

1. Convulsif : nerveux.
2. Dans les transes : très inquiet.
3. Peu édifiés : peu convaincus.
4. Tout en remontant : tout en s'avançant vers le fond de la scène.

1. Tout le monde comprend-il tout de suite pourquoi la Môme éclate de rire ? Si ce n'est pas le cas, pourquoi tout le monde rit-il ?
2. Pourquoi les invités arrêtent-ils brusquement de rire ?
3. En quoi la justification de Petypon est-elle comique ?

La mise en scène

Feydeau créateur de personnages vivants

Voici comment Feydeau décrit la manière dont il écrit ses pièces de théâtre :

Lorsque je suis devant mon papier, et dans le feu du travail, je n'analyse pas mes héros, je les regarde agir, je les entends parler […].

[Mes héros] sont pour moi des êtres concrets ; leur image se fixe dans ma mémoire, et non seulement leur silhouette mais le souvenir du moment où ils sont entrés en scène et de la porte qui leur a donné accès.

Adolphe Brisson, Portraits intimes, t. V,
Armand Colin, 1901, p. 53.

Vous êtes un journaliste et vous interrogez Feydeau sur la manière dont il compose ses pièces de théâtre.

1. Pour chacun des deux paragraphes de ce texte, posez la question qui aurait pu conduire Feydeau à répondre comme il le fait.
2. Relisez la présentation de Feydeau, p. 12. Posez deux autres questions dont la réponse n'est pas contenue dans le texte et imaginez les réponses de Feydeau. Présentez votre travail sous la forme d'une interview avec Feydeau.

Les acteurs d'*Embrassons-nous Folleville!*

Voici ce que nous savons des comédiens qui ont joué la première série de représentations d'*Embrassons-nous Folleville!* au théâtre du Palais-Royal, en 1850.

Le marquis de Manicamp était joué par Sainville (v. 1800-1854), l'un des acteurs comiques les plus connus du théâtre du Palais-Royal, célèbre pour ses mimiques ridicules et son rire saccadé, qui lui donnaient un air idiot. Il était spécialisé dans les rôles de naïfs ou de ridicules. Il joua dans de nombreuses pièces de Labiche, interprétant par exemple le benêt placide Collardeau dans *Un jeune homme pressé* (1846), ou le père possessif De Vancouver dans *Mon Isménie!* (1852).

Le vicomte de Chatenay était incarné par Hyacinthe d'Obigny de Ferrière, dit Derval (1802-1885). Cet acteur grand et beau, élevé dans une famille de militaires, avait reçu l'éducation d'un homme du monde pendant sa jeunesse. Ses manières étaient raffinées et sa diction agréable. Il joua au Palais-Royal entre 1831 et 1857 et remporta un grand succès dans les rôles de jeune premier, puis de père noble. Il interpréta plusieurs pièces de Labiche, incarnant notamment le commandant Mathieu dans *Le Voyage de Monsieur Perrichon* (1860).

Le chevalier de Folleville était représenté par Jules Lacourière (mort en 1859). Très peu d'informations nous sont parvenues sur cet acteur. On sait qu'il a joué le jeune homme à la mode Achille de Rosalba dans *Un chapeau de paille d'Italie* (1851) de Labiche.

Berthe était incarnée par Mlle Scriwaneck (1825-1910), qui était réputée pour sa voix agréable, son jeu nuancé et son talent à représenter les rôles de femmes travesties en hommes! Nous ne savons rien de sa taille, mais on peut imaginer qu'elle n'était pas très grande. La comédienne a notamment joué une jeune fille à marier, Olympe, dans *Le Major Cravachon* (1844) de Labiche.

1. Pour chaque comédien, expliquez en quoi son physique et sa personnalité correspondent (ou non) au rôle qui lui a été attribué.

2. Pour chaque personnage, donnez les caractéristiques physiques et morales que devrait mettre en valeur le comédien qui joue le rôle.

3. Précisez comment l'acteur qui joue chaque rôle pourra exprimer ces caractéristiques sur scène.

Étude d'une mise en scène d'*Embrassons-nous Folleville!*

Le vaudeville en un acte *Embrassons-nous Folleville!* a été représenté en 2004 par la compagnie suisse Les Exilés, au théâtre de l'Odéon de Villeneuve, sur les bords du lac Léman. Observez la photographie de la page ci-contre et répondez aux questions suivantes :

1. Décrivez le décor choisi pour la mise en scène. À quoi voit-on que nous sommes dans le salon d'une riche famille ?

2. Décrivez les costumes des deux hommes. De quelle époque datent-ils ?

3. Décrivez la gestuelle et l'expression des deux personnages. Quels sentiments paraissent-ils ressentir ? Qui sont ces deux personnages ? (plusieurs réponses sont possibles). À quelle scène de la pièce correspond cette photo ?

4. Après une recherche sur les vêtements des femmes au XVIIIe siècle, imaginez le costume historique que pourrait porter Berthe et décrivez-le.

Embrassons-nous Folleville !, par la compagnie suisse Les Exilés, au théâtre de l'Odéon de Villeneuve, sur les bords du lac Léman, en 2004. Olivier Lambelet (au fond) ; Steve Riccard (devant).

5. Vous faites représenter *Embrassons-nous Folleville !* en transposant la pièce au XXIe siècle. Présentez le décor et le costume de chaque personnage. Pour chaque scène, donnez des indications de jeu aux acteurs, en précisant le ton de leur voix, leurs attitudes, leurs déplacements, leur gestuelle et leur mimique.

Jouer une scène de théâtre

Mimer comme Marceau

L'acteur Marcel Marceau (1923-1997) a été le plus célèbre mime français. Il a joué des scènes entièrement muettes, que le spectateur comprenait à travers les mimiques et les gestes de l'acteur, comme dans les spectacles de clowns. Pour le mime Marceau en effet, « la parole n'est pas nécessaire pour exprimer ce qu'on a sur le cœur ».

1. Pour chaque photographie du mime Marceau (voir cahier photos, p. 4), imaginez le sentiment exprimé et la situation dans laquelle peut se trouver le personnage. Écrivez les paroles qu'aurait pu prononcer l'acteur pour s'expliquer à un spectateur qui ne comprendrait pas le sens de sa mimique et de ses gestes.

2. Choisissez trois photos et imaginez une histoire pour les associer. Racontez cette histoire sous la forme d'un dialogue de théâtre, où le mime Marceau raconte une histoire à un personnage qui lui pose des questions.

3. À l'aide des consignes données page ci-contre, jouez cette scène en classe, d'abord sans paroles, sans bruit, uniquement à l'aide de votre corps. Puis représentez de nouveau la même scène en jouant le dialogue que vous avez écrit.

Consignes de jeu

1. Avant de jouer

Quand je joue une scène de théâtre, mon principal objectif est de rendre vivant le personnage aux yeux du public. Avant de commencer à jouer, je dois donc repérer les principaux traits de caractère du personnage pour pouvoir me mettre dans sa peau. Je dois m'imaginer à sa place dans la situation de la scène et identifier précisément la manière dont il se comporte quand il parle, mais aussi quand il écoute son interlocuteur.

2. Pendant la scène

Dès que la scène commence, je dois toujours avoir à l'esprit que je m'adresse à la fois à mon partenaire de jeu et aux spectateurs présents dans la salle. Cela signifie que le public doit pouvoir entendre distinctement chacune de mes paroles et voir chacun de mes gestes. Tout au long de la scène, je dois faire oublier au spectateur qui je suis dans la vie réelle et être entièrement dans la peau de mon personnage, à la fois quand je prononce une réplique et quand je réagis à ce que dit ou fait mon partenaire de jeu.

Je m'exprime par différents moyens :

La voix

J'articule bien chaque mot que je prononce. Pour exprimer le sentiment du personnage, je donne à ma voix le ton qui lui correspond et je varie la vitesse des phrases et leur intensité sonore : je parle fort ou doucement, vite ou lentement.

Le corps

– *Les attitudes* : je donne à mon corps l'attitude qui correspond à la réplique que je joue (je peux par exemple être debout ou assis, me tenir très droit ou courbé, regarder mon interlocuteur ou lui tourner le dos).

– *Les déplacements* : lorsque je parle et que j'écoute, je peux rester sur place ou me déplacer sur la scène, en marchant lentement ou en courant, d'un pas assuré ou hésitant.

– *La gestuelle* : je bouge les bras, les mains et la tête pour rendre plus convaincantes les paroles que je prononce.

– *Les mimiques* : je fais comprendre au public les sentiments du personnage en donnant à mon visage et à mon regard l'expression qui correspond (la joie, la colère, la tristesse, la surprise, la peur, etc.).

Jouer la chasse aux canards

Relisez la scène 2 de l'acte I d'*Embrassons-nous Folleville !*, et en particulier le passage où Manicamp rappelle à Folleville l'histoire de la chasse aux canards (de « Nous chassions le canard » à « un ange, une perle ! », l. 94 à 131, p. 45 à 47).

1. En vous appuyant sur les consignes de jeu, p. 145, imaginez le ton, les gestes, les mimiques et les déplacements de Manicamp et de Folleville.

2. Jouez la scène en classe, par groupes de deux.

3. Imaginez les paroles que Folleville, Manicamp et le roi Louis XV ont pu échanger près de l'étang, au moment où la scène a eu lieu. Présentez votre travail sous la forme d'un dialogue théâtral mettant en scène Manicamp et Folleville, puis le roi Louis XV. Accompagnez le dialogue de didascalies précisant le décor, les sentiments et les gestes des personnages.

Images du vaudeville au XIXe siècle

Jean Béraud, *Le Boulevard des Capucines devant le théâtre du Vaudeville* (1889)

Le peintre français Jean Béraud (1849-1835) a représenté principalement des scènes tirées de la vie parisienne de la fin du XIXe siècle et du début du XXe siècle. Il a consacré plusieurs tableaux au théâtre, témoignant ainsi de l'importance prise par les spectacles dans la vie parisienne de l'époque. Étudiez son tableau intitulé *Le Boulevard des Capucines devant le théâtre du Vaudeville* (cahier photos, p. 1). Avant de répondre aux questions qui suivent, relisez le passage intitulé «La comédie du vaudeville» dans la présentation de l'édition (p. 7).

1. Devant quel théâtre sommes-nous? Quel type de pièces jouait-on dans ce théâtre?

2. Observez les vêtements des personnages qui se tiennent devant le théâtre. À quel milieu social appartiennent-ils?

3. Observez le premier plan du tableau (la partie de l'image la plus proche de vous). Quel est le métier de l'homme qui paraît vous regarder et s'avancer vers vous?

4. Observez le deuxième plan de l'image. À qui s'adresse l'homme vêtu d'une redingote et touchant son chapeau de la main gauche? À quoi voit-on qu'il est sur le point de partir?

5. Dans quelle direction se dirige la femme à droite du tableau? Que porte-t-elle à la main droite? À votre avis, qu'a-t-elle fait juste avant cette scène qui est prise sur le vif?

6. Imaginez le dialogue entre cette femme et l'homme à la redingote. Présentez votre réponse sous la forme d'un texte de théâtre, accompagnée de didascalies qui précisent le décor, les sentiments des personnages et leurs gestes.

7. Qu'attend la femme postée sur le bord du trottoir, à l'arrière-plan, à gauche du tableau? Vous pouvez imaginer plusieurs réponses.

Jean Béraud, *Représentation au théâtre des Variétés* (1888)

Observez le tableau du cahier photos (p. 2) et répondez aux questions suivantes :

1. Dans quel théâtre sommes-nous? Quel type de pièce était représenté dans ce théâtre?

2. Pourquoi voit-on un orchestre jouer au premier plan de l'image ?

3. Identifiez les acteurs dans l'image. Décrivez leur costume, l'attitude de leur corps et l'expression de leur visage. Que fait l'acteur, la bouche entrouverte ? Quel type de scène joue ce couple d'acteurs ?

4. Observez les deux spectateurs à gauche de l'image. Que regarde l'homme à l'aide de ses jumelles ?

Notes et citations

Notes et citations

Notes et citations

Les classiques et les contemporains
dans la même collection

ANDERSEN
La Petite Fille et les allumettes
et autres contes (171)

ANOUILH
La Grotte (324)

APULÉE
Amour et Psyché (2073)

ASIMOV
Le Club des Veufs noirs (314)

AUCASSIN ET NICOLETTE (43)

BALZAC
Le Bal de Sceaux (132)
Le Chef-d'œuvre inconnu (2208)
Le Colonel Chabert (2007)
Ferragus (48)
Le Père Goriot (349)
La Vendetta (28)

BARBEY D'AUREVILLY
Les Diaboliques – Le Rideau cramoisi,
Le Bonheur dans le crime (2190)

BARRIE
Peter Pan (2179)

BAUDELAIRE
Les Fleurs du mal – *Nouvelle édition* (115)

BAUM (L. FRANK)
Le Magicien d'Oz (315)

LA BELLE ET LA BÊTE ET AUTRES CONTES (90)

BERBEROVA
L'Accompagnatrice (6)

BERNARDIN DE SAINT-PIERRE
Paul et Virginie (2170)

LA BIBLE
Histoire d'Abraham (2102)
Histoire de Moïse (2076)

BOVE
Le Crime d'une nuit. Le Retour de l'enfant
(2201)

BRADBURY
L'Heure H et autres nouvelles (2050)
L'Homme brûlant et autres nouvelles
(2110)

CARRIÈRE (JEAN-CLAUDE)
La Controverse de Valladolid (164)

CARROLL
Alice au pays des merveilles (2075)

CERVANTÈS
Don Quichotte (234)

CHAMISSO
L'Étrange Histoire de Peter Schlemihl
(174)

LA CHANSON DE ROLAND (2151)

CHATEAUBRIAND
Mémoires d'outre-tombe (101)

CHEDID (ANDRÉE)
L'Enfant des manèges et autres nouvelles
(70)
Le Message (310)

CHRÉTIEN DE TROYES
Lancelot ou le Chevalier de la charrette
(116)
Perceval ou le Conte du graal (88)
Yvain ou le Chevalier au lion (66)

CLAUDEL (PHILIPPE)
Les Confidents et autres nouvelles (246)

COLETTE
Le Blé en herbe (257)

COLIN (FABRICE)
Projet oXatan (327)

COLLODI
Pinocchio (2136)

CORNEILLE
Le Cid – *Nouvelle édition* (18)

DAUDET
Aventures prodigieuses de Tartarin
de Tarascon (2210)
Lettres de mon moulin (2068)

DEFOE
Robinson Crusoé (120)

DIDEROT
Jacques le Fataliste (317)
Le Neveu de Rameau (2218)
Supplément au Voyage de Bougainville
(189)

DOYLE
Le Dernier Problème. La Maison vide (64)
Trois Aventures de Sherlock Holmes (37)

DUMAS
Le Comte de Monte-Cristo (85)
Pauline (233)
Les Trois Mousquetaires, t. 1 et 2
(2142 et 2144)

FABLIAUX DU MOYEN ÂGE (71)

LA FARCE DE MAÎTRE PATHELIN (3)

LA FARCE DU CUVIER ET AUTRES FARCES
DU MOYEN ÂGE (139)

FERNEY (ALICE)
Grâce et Dénuement (197)

FLAUBERT
La Légende de saint Julien l'Hospitalier
(111)
Un cœur simple (47)

GARCIN (CHRISTIAN)
Vies volées (346)

GAUTIER
Le Capitaine Fracasse (2207)
La Morte amoureuse. La Cafetière
et autres nouvelles (2025)

GOGOL
Le Nez. Le Manteau (5)

GRAFFIGNY (MME DE)
Lettres d'une péruvienne (2216)

GRIMM
Le Petit Chaperon rouge et autres contes
(98)

GRUMBERG (JEAN-CLAUDE)
L'Atelier (196)

HIGGINS (COLIN)
Harold et Maude – Adaptation de
Jean-Claude Carrière (343)

HOBB (ROBIN)
Retour au pays (338)

HOFFMANN
L'Enfant étranger (2067)
L'Homme au Sable (2176)
Le Violon de Crémone. Les Mines
de Falun (2036)

HOLDER (ÉRIC)
Mademoiselle Chambon (2153)

HOMÈRE
Les Aventures extraordinaires d'Ulysse
(2225)

L'Iliade (2113)
L'Odyssée (125)

HUGO
Claude Gueux (121)
Le Dernier Jour d'un condamné (2074)
Les Misérables, t. 1 et 2 (96 et 97)
Notre-Dame de Paris (160)
Poésies 1. Enfances (2040)
Poésies 2. De Napoléon Ier à Napoléon III
(2041)
Quatrevingt-treize (241)
Le roi s'amuse (307)
Ruy Blas (243)

JAMES
Le Tour d'écrou (236)

JARRY
Ubu Roi (2105)

KAFKA
La Métamorphose (83)

LABICHE
Un chapeau de paille d'Italie (114)

LA BRUYÈRE
Les Caractères (2186)

MME DE LAFAYETTE
La Princesse de Clèves (308)

LA FONTAINE
Le Corbeau et le Renard et autres fables
– Nouvelle édition des Fables (319)

LANGELAAN (GEORGE)
La Mouche. Temps mort (330)

LAROUI (FOUAD)
L'Oued et le Consul et autres nouvelles
(239)

LE FANU (SHERIDAN)
Carmilla (313)

LEROUX
Le Mystère de la Chambre Jaune (103)
Le Parfum de la dame en noir (2202)

LOTI
Le Roman d'un enfant (94)

MARIE DE FRANCE
Lais (2046)

MARIVAUX
La Double Inconstance (336)
L'Île des esclaves (332)

MATHESON (RICHARD)
Au bord du précipice et autres nouvelles
(178)

Enfer sur mesure et autres nouvelles (2209)

MAUPASSANT
Boule de suif (2087)
Le Horla et autres contes fantastiques (11)
Le Papa de Simon et autres nouvelles (4)
La Parure et autres scènes de la vie parisienne (124)
Toine et autres contes normands (312)

MÉRIMÉE
Carmen (145)
Mateo Falcone. Tamango (104)
La Vénus d'Ille – *Nouvelle édition* (348)

MIANO (LÉONORA)
Afropean Soul et autres nouvelles (326)

LES MILLE ET UNE NUITS
Ali Baba et les quarante voleurs (2048)
Le Pêcheur et le Génie. Histoire de Ganem (2009)
Sindbad le marin (2008)

MOLIÈRE
L'Amour médecin. Le Sicilien ou l'Amour peintre (342)
L'Avare – *Nouvelle édition* (12)
Le Bourgeois gentilhomme (133)
Dom Juan (329)
L'École des femmes (2143)
Les Femmes savantes (2029)
Les Fourberies de Scapin – *Nouvelle édition* (337)
George Dandin (60)
Le Malade imaginaire (2017)
Le Médecin malgré lui (2089)
Le Médecin volant. La Jalousie du Barbouillé (242)
Les Précieuses ridicules (2061)
Le Tartuffe (350)

MONTESQUIEU
Lettres persanes (95)

MUSSET
Il faut qu'une porte soit ouverte ou fermée. Un caprice (2149)
On ne badine pas avec l'amour (2100)

OVIDE
Les Métamorphoses (92)

PASCAL
Pensées (2224)

PERRAULT
Contes – *Nouvelle édition* (65)

PIRANDELLO
Donna Mimma et autres nouvelles (240)
Six Personnages en quête d'auteur (2181)

POE
Le Chat noir et autres contes fantastiques (2069)
Double Assassinat dans la rue Morgue. La Lettre volée (45)

POUCHKINE
La Dame de pique et autres nouvelles (19)

PRÉVOST
Manon Lescaut (309)

PROUST
Combray (117)

RABELAIS
Gargantua (2006)
Pantagruel (2052)

RÉCITS DE VOYAGE
Le Nouveau Monde (Jean de Léry, 77)
Les Merveilles de l'Orient (Marco Polo, 2081)

RENARD
Poil de Carotte (2146)

ROBERT DE BORON
Merlin (80)

ROMAINS
L'Enfant de bonne volonté (2107)

LE ROMAN DE RENART – *Nouvelle édition* (335)

ROSNY AÎNÉ
La Mort de la terre (2063)

ROSTAND
Cyrano de Bergerac (112)

ROUSSEAU
Les Confessions (238)

SAND
Les Ailes de courage (62)
Le Géant Yéous (2042)

SAUMONT (ANNIE)
Aldo, mon ami et autres nouvelles (2141)
La guerre est déclarée et autres nouvelles (223)

SÉVIGNÉ (MME DE)
Lettres (2166)

SHAKESPEARE
Macbeth (215)
Roméo et Juliette (118)

SHELLEY (MARY)
Frankenstein (128)

STENDHAL
L'Abbesse de Castro (339)
Vanina Vanini. Le Coffre et le Revenant (44)

STEVENSON
Le Cas étrange du Dr Jekyll et de M. Hyde (2084)
L'Île au trésor (91)

STOKER
Dracula (188)

SWIFT
Voyage à Lilliput (2179)

TCHÉKHOV
La Mouette (237)
Une demande en mariage et autres pièces en un acte (108)

TITE-LIVE
La Fondation de Rome (2093)

TOURGUÉNIEV
Premier Amour (2020)

TROYAT (HENRI)
Aliocha (2013)

VALLÈS
L'Enfant (2082)

VERNE
Le Tour du monde en 80 jours (2204)

VILLIERS DE L'ISLE-ADAM
Véra et autres nouvelles fantastiques (2150)

VIRGILE
L'Énéide (109)

VOLTAIRE
Candide – *Nouvelle édition* (78)
L'Ingénu (2211)
Jeannot et Colin. Le monde comme il va (220)
Micromégas (135)
Zadig – *Nouvelle édition* (30)

WESTLAKE (DONALD)
Le Couperet (248)

WILDE
Le Fantôme de Canterville et autres nouvelles (33)

ZOLA
L'Attaque du moulin. Les Quatre Journées de Jean Gourdon (2024)
Germinal (123)
Thérèse Raquin (322)

Les anthologies dans la même collection

AU NOM DE LA LIBERTÉ
Poèmes de la Résistance (106)

L'AUTOBIOGRAPHIE (2131)

BAROQUE ET CLASSICISME (2172)

LA BIOGRAPHIE (2155)

BROUILLONS D'ÉCRIVAINS
Du manuscrit à l'œuvre (157)

« C'EST À CE PRIX QUE VOUS MANGEZ DU
SUCRE... » Les discours sur l'esclavage
d'Aristote à Césaire (187)

CEUX DE VERDUN
Les écrivains et la Grande Guerre (134)

LES CHEVALIERS DU MOYEN ÂGE (2138)

CONTES DE L'ÉGYPTE ANCIENNE (2119)

CONTES DE SORCIÈRES (331)

LE CRIME N'EST JAMAIS PARFAIT
Nouvelles policières 1 (163)

DE L'ÉDUCATION
Apprendre et transmettre de Rabelais à
Pennac (137)

LE DÉTOUR (334)

DES FEMMES (2217)

FAIRE VOIR : QUOI, COMMENT, POUR QUOI ?
(320)

FÉES, OGRES ET LUTINS
Contes merveilleux 2 (2219)

LA FÊTE (259)

GÉNÉRATION(S) (347)

LES GRANDES HEURES DE ROME (2147)

L'HUMANISME ET LA RENAISSANCE (165)

IL ÉTAIT UNE FOIS
Contes merveilleux 1 (219)

LES LUMIÈRES (158)

LES MÉTAMORPHOSES D'ULYSSE
Réécritures de L'*Odyssée* (2167)

MONSTRES ET CHIMÈRES (2191)

MYTHES ET DIEUX DE L'OLYMPE (2127)

NOIRE SÉRIE...
Nouvelles policières 2 (222)

NOUVELLES DE FANTASY 1 (316)

NOUVELLES FANTASTIQUES 1
Comment Wang-Fô fut sauvé et autres
récits (80)

NOUVELLES FANTASTIQUES 2
Je suis d'ailleurs et autres récits (235)

ON N'EST PAS SÉRIEUX QUAND ON A QUINZE
ANS Adolescence et littérature (156)

PAROLES DE LA SHOAH (2129)

LA PEINE DE MORT
De Voltaire à Badinter (122)

POÈMES DE LA RENAISSANCE (72)

POÉSIE ET LYRISME (173)

LE PORTRAIT (2205)

RACONTER, SÉDUIRE, CONVAINCRE
Lettres des XVIIᵉ et XVIIIᵉ siècles (2079)

RÉALISME ET NATURALISME (2159)

RÉCITS POUR AUJOURD'HUI
17 fables et apologues contemporains
(345)

RISQUE ET PROGRÈS (258)

ROBINSONNADES
De Defoe à Tournier (2130)

LE ROMANTISME (2162)

SCÈNES DE LA VIE CONJUGALE
Le couple au théâtre, de Shakespeare à
Yasmina Reza (328)

LE SURRÉALISME (152)

LA TÉLÉ NOUS REND FOUS ! (2221)

LES TEXTES FONDATEURS (340)

TROIS CONTES PHILOSOPHIQUES (311)
Diderot, Saint-Lambert, Voltaire

TROIS NOUVELLES NATURALISTES (2198)
Huysmans, Maupassant, Zola

VIVRE AU TEMPS DES ROMAINS (2184)

VOYAGES EN BOHÈME (39)
Baudelaire, Rimbaud, Verlaine

Création maquette intérieure :
Sarbacane Design.

Composition : In Folio.

Dépôt légal : mars 2010
Numéro d'édition : L.01EHRNFG2244.N001
Imprimé en Espagne par Novoprint (Barcelone)